JN094817

長崎文献社

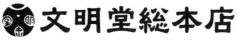

発刊に寄せて

先人に学び、若者に奮起してほしい

杉田 亮毅（日本経済新聞社参与）

千葉県房総半島の南端、鴨川市に亀田病院という総合病院がある。医師を百人以上抱える民間の巨大病院。そのルーツは漢方時代の三百数十年前に遡る。西洋医学に転じたのは、五代前の亀田自證が長崎の「鳴滝塾」で、西洋医学を学んだのが、きっかけだ。山本周五郎の『赤ひげ診療譚』でも、長崎で蘭学を収めた若い医師が大活躍する。長崎は近代医学開花の一大拠点であった。

医学だけではない。遠く織田信長の時代から、長崎は西洋文明流入の窓口であった。フランシスコ・ザビエルや、ルイス・フロイスら宣教師は、キリスト教の布教だけでなく、数多くの西洋文化を伝えた。「新しもの好き」で知られる織田信長が、西洋の長靴、マント姿で馬にまたがっている図を観た人は多いだろう。フロイスあたりが、お土産に献上したものだろう。「日本人で最初にズボンを履いたのは信長ではないか」（直木賞作家安部龍太郎氏）という。ファッションにも影響を与え始めていたのだ。

長崎は幕末から明治に至る、政治、経済変革の“裏舞台”であった。スコットランドからきたトーマス・グラバー　は討幕の志士たちと交流し、艦船、鉄砲など、最新の武器を供与し、明治維新の到来を早めた。

坂本龍馬の側近だった岩崎弥太郎は、このグラバーの力を借りて今日の三菱重工につながる造船業を始めた。そして、製鉄、石炭採掘と手を広げ、日本の産業革命の重要な一翼を担ったのである。また、日本で最初にビールが造られたのも、長崎出島であった。

こうして長崎が日本の文明開化の歴史に光り輝くことができた、大元をたどれば、キリシタン大名の大村純忠が、飛び地だった長崎、茂木をイエズス会に寄進したことが大きい。その余勢を駆って長崎は、中国、東南アジアとの交易もあって戦前は日本の十大都市の一角を占めた。それに比べ、戦後の凋落は残念だ。

今回、長崎文献社が、近世、各分野で活躍した「長崎人」を特集することになったのは喜ばしい。若い世代の人は、先人の活躍を読み、奮起して欲しい。「今日は昨日の続き」ではなく、思い切った発想の転換で、郷土の発展に全身全霊を捧げてほしい。

目　次

序文

Ⅰ章（あ行）

Ⅱ章（か行）

Ⅲ章（さ行）

Ⅳ章（た行、な行）

Ⅴ章（は行）

Ⅵ章（ま行）

Ⅶ章（や行、ら行、わ行）

関連人脈（コラム）掲載人物名

凡例：編集方針

①100 人の人選は監修委員と編集部の協議により決定した。
②人選の基準は長崎の歴史に足跡を残した人物とし、存命者は除外した。
③長崎県生まれに限らない。外国人も長崎の歴史に名を残す人は入れた。
④目次の配列は五十音順とした。外国人の場合、姓名のみで配列した。
⑤幼名、諱、号、などの複数の名前のある人物は著名な名前に統一した。
⑥年号はすべて西暦表記を原則とし、和暦は表記していない。
⑦人名には原則として敬称を略した。文脈に対応した役職名は表記した。
⑧イラスト、漫画は史実に準じて想像力を豊かにする表現をした。
⑨写真、画像のクレジット表記のないものはパブリック・ドメイン、編集部撮影など。

Who's Who Nagasaki 100

I

秋月辰一郎
天草四郎
雨森芳洲
荒木宗太郎
有馬晴信
アルメイダ
石井筆子
市川森一
伊東巳代治
今里広記
岩崎弥太郎
岩永マキ
隠元隆琦
植木元太郎
上野彦馬
梅屋庄吉
遠藤周作
大浦慶
大隈重信
大村純忠

秋月 辰一郎

あきづき たついちろう

1916年—2005年

医師・「長崎の証言の会」提唱者

『死の同心円』より

爆心地から1.4キロの長崎浦上第一病院（現聖フランシスコ病院）で勤務中に被爆。医師として被爆しながら、負傷した被爆者の治療にあたる。被爆者の証言を語る「長崎の証言の会」創設。被爆証言が平和を訴える力があると運動を始めた。

被爆証言で平和を訴える運動の提唱者

略年表

1916年　長崎市万才町に生まれる
1940年　京都帝国大学医学部を卒業。長崎医科大学放射線医局の助手となる
1944年　高原病院勤務を経て長崎浦上第一病院医長に就任
1945年　病院で勤務中に被爆するが、負傷した被爆者の救護にあたる
1949年　湯江町（現諫早市高来町）で開業
1952年　聖フランシスコ病院院長に就任
1968年　日本医師会最高優功賞を受賞
1976年　長崎市市政功労表賞受賞
1982年　国連軍縮特別総会に日本代表として出席
1985年　ローマ法王ヨハネ・パウロ2世より、聖シルベストロ教皇騎士団勲章を受章
2005年　10月20日に89歳で死去

◉参考文献
『死の同心円 長崎被爆医師の記録』（2010年 秋月辰一郎著 長崎文献社）、『長崎遊学2 長崎・天草の教会と巡礼地完全ガイド』（2005年 カトリック長崎大司教区監修 長崎文献社編）
参考にしたホームページ：虫プロダクション（https://www.mushi-pro.co.jp/）

生い立ち：幼少時から成績優秀ながら病弱だった秋月は、健康にとても神経質だった。京都帝国大学医学部卒業後、長崎医科大学放射線医局の助手となり、責任医師の永井隆と出会う。1943年に結核を患うが、自身で考案した栄養療法と運動で回復する。浦上第一病院で被爆者救済に尽くした看護師の村井すが子と1948年に結婚した。

「血にまみれた1週間」：1948年、北高来郡高来町湯江の炭焼き小屋に移り住み、8月9日の原爆投下から終戦する15日までの一週間の惨状と、救済活動に尽くした同僚たちの姿を執筆。「血にまみれた一週間」のタイトルで婦人月間雑誌「主婦の友」に掲載される。

『死の同心円 長崎被爆医師の記録』（2010年 秋月辰一郎著 長崎文献社）より

長崎原爆被爆者運動の原点「証言の会」：1962年、長崎総科大に赴任してきた鎌田定夫は、秋月の著書『長崎原爆記』を読んで、東京で行われる長崎原爆展に秋月を招待する。会場の展示資料の中に長崎の原爆を証言する本は一冊も見当たらなかったことに衝撃を受けた秋月

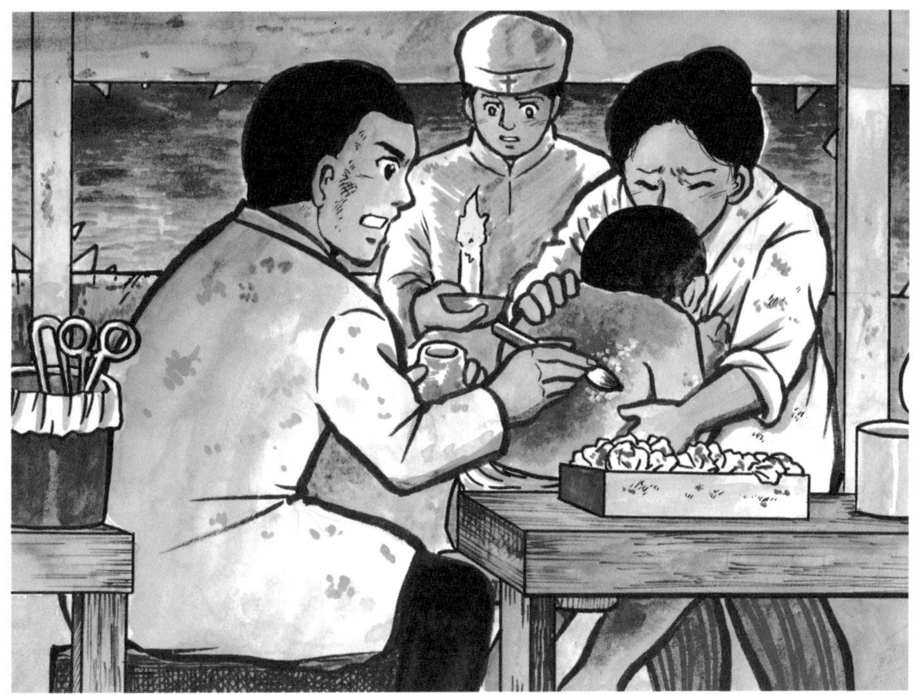
救護活動は命がけだった　　画:西岡由香

は、これをきっかけに鎌田らと「長崎の証言の会」を起ち上げた。『長崎の証言』創刊号で「長崎の人々は被爆体験を語らなさ過ぎる。私たちは大いに語らねばならぬ。語ることは私たちの義務である」と訴えている。

秋月辰一郎の残した著書:秋月の著書は『長崎原爆記』(1966年 弘文堂)、『死の同心円』(1972年 講談社初版)、『原爆と三十年』(1982年 朝日新聞社)がある。被爆者たちの記録を残すために執筆された。写真は復刻版の『死の同心円 長崎被爆医師の記録』(2010年 長崎文献社)。

『死の同心円』長崎文献社版)

虫プロダクション制作の長編アニメ映画『NAGASAKI 1945 アンゼラスの鐘』:秋月医師の著書を参考文献として2005年に制作された長編アニメ映画。秋月医師の被爆体験と献身的な医療救護活動を描くとともに、平和の尊さを訴えかける作品となっている。

被爆した浦上天主堂

浦上天主堂写真集(カトリック浦上教会発行)より

天草 四郎

あまくさ しろう

1622年前後？—1638年

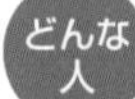
どんな人 **島原・天草一揆の総大将**

島原・天草一揆では、カリスマ性により一揆軍の総大将とされた。当時はまだ十代半ばだったことから、実戦の指導者ではなく「シンボル」的存在だった。原城に籠城し幕府軍に徹底抗戦。全滅ののち斬首された。近年、文芸や映像作品に登場し、若者の想像力をかき立てている。

（島原城蔵）

島原・天草の乱で一揆軍のシンボルとなる

略年表

1622年前後？　天草か長崎で出生。9歳ごろ手習いを始める。長崎でも学ぶ
1637年　島原・天草の乱が起こる。総大将となる
1638年　肥後細川藩士に原城内で討ち取られ、長崎・出島に首が晒される

生い立ち：キリシタン大名小西行長の家臣・益田甚兵衛の息子として生まれる。両親は天草出身だが、甚兵衛は「長崎浪人」だという記録もあり、四郎の生地は天草あるいは長崎とも言われる。長崎で学問に励んだこともあるという。本名は益田四郎時貞。洗礼名はジェロニモ、のちにフランシスコとも。

島原・天草一揆：島原と天草では、度重なる松倉、寺沢ら領主の圧政と災害から、一揆の機運が高まった。1637年の夏、島原の森岳城（島原城）が攻撃されると、同時多発的に蜂起が始まった。乱は農民一揆の要素も大きいが、陣中旗にご聖体と天使が描かれているように、立ち上がった人々はキリシタンであり、信仰そして四郎の存在を支えに戦った。幕府軍は12万人で攻略に3カ月を要した。一揆軍は3万7千人といわれる。

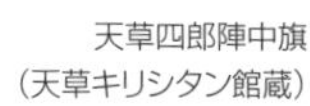
天草四郎陣中旗
（天草キリシタン館蔵）

◉参考文献
『旅する長崎学③』ほか

一揆軍の支えとなった　　画:西岡由香

いくつもの伝説:四郎は実在の人物でありながら、実像はベールに包まれている。その上「マジック」を操ったとの説もあり「鳩が手の上で教典入りの卵を生んだ」「海を歩いて渡った」などの伝説が生まれた。乱の終わり「総大将」である四郎の首は討ち取られたが、その後も生存説や女性説が流れるなど、神秘的な存在として語り継がれた。四郎の首は出島対岸の高札場にさらされたという。

原城の発掘で現れた遺構

現代の足跡
一揆軍が籠城した原城跡には、四郎の銅像も立つ。有馬キリシタン遺産記念館では、籠城中に鉄砲の弾から作られたという十字架や、口に含んで最期を迎えたと思われるメダイなどが展示されている。討ち取られた首は長崎に運ばれ、出島対岸にさらされた後、西坂に埋められたという「首塚」は、現在は所在不明である。

様々に「よみがえる」天草四郎
美しくミステリアスな四郎は、いまなお人々の想像力をかき立て、山田風太郎の小説『魔界転生』が映像化され、沢田研二や窪塚洋介が演じるなど、数多くの小説や漫画、舞台、映像作品に登場している。近年では南島原市のPR動画で満島ひかりが四郎に扮し、話題となった。

雨森 芳洲

あめのもり ほうしゅう

1668年—1755年

儒学者・外交官

（芳洲会蔵）

江戸時代中期、対馬藩に仕えた儒学者。中国語と朝鮮語を習得し、朝鮮方佐役、御用人として朝鮮通信使の接遇に活躍。朝鮮との交流において「互いに欺かず、争わず、真実を以て交わる」と提唱し、「誠信の外交」を説いた。

対馬藩に仕官し朝鮮との外交に貢献した

略年表

1668年　近江の国（現滋賀県）、伊香郡雨森村に誕生
1685年　木下順庵の門下に入る
1689年　対馬藩主宗義真に儒官として仕える
1693年　長崎に遊学する
1698年　朝鮮御用支配役となる
1703年～05年　2度の留学にて朝鮮語習得
1711年　第8回朝鮮通信使来日、真文役として江戸に同行
1719年　第9回朝鮮通信使来日、真文役として江戸に同行
1721年　朝鮮御用支配役を辞任。家督を長男に譲る
1728年　『交隣提醒』を著す
1755年　87歳で死去

生い立ち：近江の町医者の子に生まれ、12歳頃から医学を学ぶ。16歳で江戸へ出て、儒学者・木下順庵（きのしたじゅんあん）の門下に入る。同門の新井白石（あらいはくせき）、室鳩巣（むろきゅうそう）らとともに「木門の五先生」と尊称された。対馬藩に仕官後、1721年に朝鮮御用支配役を辞任すると、朝鮮語の学習書などの執筆活動に専念。私塾を開き、生涯を対馬の発展に捧げた。

「誠信之交隣」提唱：“交隣”とは、隣国と対等に交わることで、本来朝鮮で使われた外交用語である。芳洲は対馬藩の外交方針として「誠信之交隣」を提唱し、朝鮮通詞の養成にも力を注いだ。芳洲の関連資料は「ユネスコ世界の記憶」に登録されている。登録件数は日韓あわせて111件333点あり、内36点が芳洲の著作等。『交隣須知』などの教科書は、明治まで朝鮮語学習の入門書として使用された。

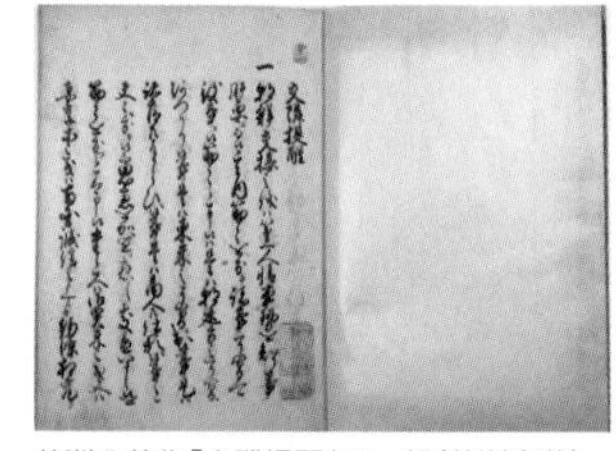

芳洲の著作「交隣提醒」の一部（芳洲会蔵）

朝鮮国信使絵巻（部分）：1811年の朝鮮通信使を描いたもの。この時の聘礼行事は簡略化され、江戸に行くことはなく対馬止まりであった。正使及び副使の来日のみで、随員総員は328人であった。本図には従事官の姿はなく、ま

◉参考ホームページ
NPO法人朝鮮通信使縁地連絡協議会ホームページ（https://enchiren.com/）
◉参考文献：『雨森芳洲 互に欺かず争わず真実を以て交り候』（2011年 上田正昭著 ミネルヴァ書房）、『雨森芳洲と朝鮮通信使 未来を照らす交流の遺産』（企画・編集 長浜市長浜城歴史博物館／高月観音の里歴史民俗資料館 高月観音の里歴史民俗資料館発行）

朝鮮通信使の接遇に活躍　画:ヤマモトシホ

朝鮮国使絵巻文化度の一部(長崎県対馬歴史研究センター蔵)

た随員の数も少なく描かれ、当時の朝鮮通信使の特徴をよく表している。

対馬朝鮮通信使歴史館:2021年、対馬市厳原町に開館。朝鮮通信使の来日を成し遂げた対馬藩の役割や、雨森芳洲の「誠信外交」など朝鮮通信使に関する様々な情報が展示資料とともに詳しく紹介されている。

対馬にオープンした対馬朝鮮通信使歴史館

雨森芳洲の墓:対馬市厳原町日吉、長寿院の裏山を登ると、頂上付近に雨森芳洲の墓がある。

「朝鮮通信使」とは

徳川家康が関ヶ原の戦いに勝利すると、対馬の宗氏を介して朝鮮との国交回復を図る。中間にたった対馬島主の懸命の努力が実り、1607年に第一回の外交使節団が来日。総勢500名を超えることもあった外交使節団は「朝鮮通信使」と呼ばれ、江戸末期の1811年まで12回派遣される。正使、副使の他、儒学者、医師、画家などを含む通信使らは江戸に向かう間、各地で日本の文人、学者たちと交流を深めた。

芳洲の墓地

荒木 宗太郎

あらき そうたろう

?年―1636年

朱印船貿易商

安土桃山時代から江戸時代初期にかけて活躍した貿易商で、自ら船に乗り東南アジア各地に渡った。安南国王の外戚である阮(グエン)氏の娘と結婚。その婚礼行列の豪華さは「アニオーさんの行列」として語り草となり、現在も長崎くんちの奉納踊りで再現されている。

安南国王族の娘と結婚した朱印船貿易商

略年表

?年	肥後国に生まれる
1588年	長崎に移る
1592年	秀吉から朱印状を受ける
1606年	シャム国宛朱印状
1610年	安南国宛朱印状
1619年	安南国阮氏の娘と結婚
1636年	死去(寛永13年11月7日)
1645年	妻わかく死去
1690年	荒木家、西築町乙名になる

◉参考文献
『長崎游学⑥』、『旅する長崎学③』、『わかる！和華蘭～「新長崎市史」普及版』(長崎市)

生い立ち:肥後(熊本)の武士の家に生まれる。名は一清(かずきよ)で、通称は惣右衛門。1588年に長崎へ移り住む。稲佐の飽の浦に屋敷を構え、朱印船貿易を手がける。荒木家は宗太郎亡き後も、西築町の乙名を務めるなど、長崎の有力町人として繁栄した。

豊臣時代からの貿易商:朱印船とは、当時東シナ海に出没していた海賊船と区別するため、公的な「朱印」が押された許可証を持つ船のこと。鎖国が行われるまで350隻以上が確認されるが、宗太郎は秀吉の時代から公布を受けた「初期メンバー」であり、多くの船を出した。朱印状は

安南から妻を迎え長崎で暮らした。宗太郎が10年早く先立つも、命日は同じ　画:木村瞳子

大名などにも発行され、単なる「オーナー」である貿易商もいたが、宗太郎は自ら船に乗り込んで海を渡り、現在のタイやベトナムなどで貿易を展開した。

アニオーさんの行列:宗太郎は安南国の王族・阮(グエン)氏の信頼厚く「阮太郎」と名乗った。さらには娘の「わかく」と結婚し、長崎へ連れ帰る。豪華な婚礼の行列は「アニオー(お嬢様、お姫様の意)さんの行列」として、語り継がれた。嫁入り道具の鏡も今に伝わっている。

くんちによみがえる二人:「アニオーさんの行列」は、長崎くんちの奉納踊りでも再現され、現在は本石灰町の御朱印船の行列として喝采を浴びている。船に掲げられているマークは、オランダ東インド会社の頭文字をあしらった「逆さVOC」だ。

荒木宗太郎宅跡碑(下妻撮影)

荒木宗太郎墓地(下妻撮影)

現代の足跡

長崎市塩浜町の飽の浦公園には「荒木宗太郎宅跡」の碑が経つ(写真上)。港に面した「船頭貿易商」らしい立地だ。鍛冶屋町の大音寺の後山には、市指定史跡の「荒木宗太郎墓地」がある。

有馬 晴信

ありま はるのぶ
1567年—1612年

どんな人　有馬領主

1582年、天正遣欧少年使節をローマに派遣した大名のひとり。1584年の沖田畷（おきたなわて）の戦いではイエズス会の援助で勝利したので、浦上をイエズス会に寄進した。日野江城を居城とし、後に「島原・天草の乱」の舞台となった原城を支城とした。

ローマへ4少年を送ったキリシタン大名

略年表

1567年　肥前国高来郡、有馬家に生まれる
1571年　家督相続（有馬家13代目）
1580年　ヴァリニャーノから洗礼を受ける
1582年　天正遣欧少年使節を派遣
1584年　龍造寺家に勝利（沖田畷の戦）。イエズス会に浦上を寄進
1587年　領内にコレジオ設立
1600年　関ヶ原の戦いでは東軍に属する
1608年　マカオで自船の乗組員が殺される
1610年　マードレ・デ・デウス号事件
1612年　岡本大八事件の後、甲斐国に流され刑死

生い立ち:有馬義貞の次男として生まれる。鎮純（しげずみ）、鎮貴（しげたか）、久貴（ひさたか）、久賢（ひさまさ）などと名を変え、1571年に5歳で家督を継ぐ（有馬家13代目）。1580年、イエズス会巡察使ヴァリニャーノから洗礼を受け、キリシタンに。天正遣欧少年使節の千々石ミゲルは従兄弟にあたる。

キリシタン王国:1579年、イエズス会巡察使ヴァリニャーノが口之津に上陸すると、晴信は領内でキリスト教を保護し、初等教育機関のセミナリヨ、のちにコレジオも開かせた。1582年には、大村純忠、大友宗麟とともに4人の少年使節をローマに派遣した。仏教勢力と対立を深め、領内の寺社40余りを破壊。近年の発掘調査で、日野江城の階段遺構に破壊された仏塔が使われているのがわかった。城の栄華を示す金箔瓦も発掘され、現在、有馬キリシタン遺産記念館に展示されている。

日野江城跡出土品 金箔瓦 中国の陶磁器

岡本大八事件:1609年、マカオで自船の家臣や乗組員が殺害され、その仇討ちとして長崎港に入ったポルトガル船

◉参考文献
『旅する長崎学③』、『南島原歴史遺産』、『日本王国記』（アビラ・ヒロン　岩波書店）

洗礼名は「ドン・プロタジオ」。最期までキリシタンとして生を全うした　画:西岡由香

を包囲するが、船は自らの爆薬に火を放ち沈んだ(「マードレ・デ・デウス号事件」)。この戦後処理が、金品の詐取、贈賄事件と長崎奉行の暗殺計画の告発を招き、晴信は甲斐国へ送られたのち処刑され(「岡本大八事件」)、悲劇的な最期となる。

禁教令、そして日向へ転封:2つの事件は幕府のキリシタン政策に大きく影響し、禁教令へとつながった。有馬家は存続したものの、キリシタンへの厳しい弾圧ののち日向国(ひゅうがのくに)へ転封された。多くの家臣は領内に残り、島原・天草一揆を主導した者もあった。

現代の足跡

晴信の居城であった日野江城跡からは、仏塔を転用した階段などが発掘されたが、保存のために埋め戻された部分もある。「有馬キリシタン遺産記念館」では、晴信の像や当時の歴史資料が展示されている。ローマに派遣された4少年が学んだセミナリヨ跡には石碑が建てられている。(下妻撮影)

日野江城を訪れたスペイン商人の記録

1594年に来日したスペイン商人アビラ・ヒロンが著した『日本王国記』には有馬を訪れたことも記されており、贅を尽くした日野江城が垣間見える。

アビラ・ヒロンの著作復刻版(下妻撮影)

アルメイダ

ルイス・デ・アルメイダ
1525年—1583年

貿易商・医師・修道士

ポルトガルに生まれ、医師となるが、貿易商としてアジアへ。日本で宣教師と出会い、イエズス会に入会し修道士となる。乳児院や病院の設立に莫大な財産を投じ、医術も駆使しながら精力的に布教活動を行う。開港前の長崎にも「最初のポルトガル人」として滞在した。

長崎、五島で布教した「最初の西洋人」医師

略年表

1525年ごろ　ポルトガル・リスボンに生まれる
1546年　医師免許取得
1552年　貿易商として平戸に入る
1555年　再来日。豊後（現大分）に孤児院を建てる
1556年　イエズス会修道士となる
1557年　豊後に病院を建てる
1558年　医学教育を始める
1561年　平戸・度島で医術を行う
1566年　天草、五島で布教
1568年　長崎で布教（現春徳寺に記念碑）
1580年　マカオで司祭叙階
1583年　天草で死去

◉参考文献
『出島の医学』（相川正臣著　長崎文献社　2012）
『旅する長崎学①』

生い立ち:ポルトガル、リスボンに生まれる。ユダヤ教徒からカトリックに改宗した「コンベルソ」の家系であった。医師の免許を取得しながら貿易商となり、ゴア、マカオを経て日本へ渡り、1552年には貿易商として平戸を訪れた。その後、再来日してイエズス会に入り、信仰と宣教の道を歩み始める。

五島に布教:五島の18代領主純定（すみさだ）の要請で、1566年に五島奥浦地区の江川に口之津からアルメイダが船でやってきた。20日ほどの滞在で教理を説き、25名に洗礼を施し、周辺村人はその後、教理に共感して120名が洗礼を受けた。現在、堂崎教会に記念碑のレリーフが建てられている。

アルメイダの五島布教記念碑（堂崎教会）

開港前の長崎へ:アルメイダが長崎に来たのは開港前の1568年。長崎甚左衛門に招かれ、布教と医療を行った。1年ほどの滞在で、500人ほどが信徒になった。春徳寺石

私財を投じて乳児院を作った　　画:西岡由香

垣のアルメイダ記念碑にはポルトガル語で「医師／宣教師／長崎に到着した最初のポルトガル人」と記されている。

医術と奉仕:貿易商時代のアルメイダは、日本で横行していた間引きや子殺しに衝撃を受け、私財を投じて豊後に乳児院を作った。修道士になると、全財産をはたいて病院も建設、医術を駆使し、人々の治療に当たった。信者の互助組織である「ミゼリコルディア」を作って運営させた。

春徳寺の石垣に記念碑がある(下妻撮影)

小ローマの始まり

長崎へはアルメイダのあとにガスパル・ヴィレラが赴任。長崎初となるトードス・オス・サントス教会が建てられた(現春徳寺内)。1571年に開港した長崎には、岬の教会をはじめ、山のサンタマリア教会やミゼリコルディアなどが開かれ、10を超える教会が並ぶ「小ローマ」へと発展していく。

現代の足跡

各地を飛び回ったアルメイダは、それぞれの土地で顕彰されている。最期の地となった天草には、舟越保武のスケッチによる記念碑があり(左ページ上人物像写真)、初期の拠点であった大分では「アルメイダ病院」が、医術にも長けた人物であったことを伝えている。

石井 筆子

いしい ふでこ
1861年―1944年

教育者・社会福祉家

明治から大正、昭和戦前期にかけての教育者、社会福祉家。留学先の欧州で得た知見をもとに女性の社会的地位と知的障害者教育の向上に尽くす。知的障害者施設「滝乃川学園」第2代学園長。

鹿鳴館の華から知的障害児の教育者に

略年表

1861年　4月27日、大村藩士渡辺清の長女として生まれる
1872年　上京、翌年東京女学校（現お茶の水女子大）入学
1880年　オランダ公使の従者として渡欧
1884年　同郷の高級官吏・小鹿島果と結婚
1885年　華族女学校フランス語講師となる
1886年　長女出産
1890年　次女誕生後間もなく早世、数年の間に三女と夫が病没
1893年　静修女学校の校長に就任
1903年　滝乃川学園創設者・石井亮一と再婚。教育者として学園の発展に貢献
1937年　夫の没後、76歳で第2代学園長就任
1944年　1月24日、83歳で死去

◉参考文献
『明治の国際人　石井筆子』（長島要一著　新評論　2014）

生い立ち:大村藩士・渡辺清の娘。東京女学校で学び、オランダ・ベルギー大使に随行してヨーロッパに渡り見聞を広げた。帰国後は旧大村藩士・小鹿島果と結婚、3人の子をなしたが、夫や娘2人と死別。障害を持つ長女を預けた滝乃川学園の活動に賛同、学園長石井亮一と再婚して運営に関わる。

筆子の父・渡辺清:父親の渡辺清は、大村藩勤王（きんのう）三十七士の中心的人物であり、西郷隆盛や勝海舟らによる江戸城明け渡しの会談にも同席している。明治維新後は男爵に叙され、福岡県令・福島県知事・貴族院議員などを歴任した。渡辺昇の兄にあたる。

渡辺清は明治新政府で活躍

「鹿鳴館の華」:1883年に外国人接待と社交場として作られた鹿鳴館。欧米人の目には洋装姿の日本人が滑稽に映ったらしく、「サルのようだ」と揶揄された。そのような中、スラリとした長身に和服姿でフランス語を話す筆子の凜とした姿はひときわ目を引き、「鹿鳴館の華」と呼ばれた。

筆子は鹿鳴館でフランス語で接遇した（浮世絵『貴顕舞踏の略図』wikipediaより）

華族女学校と津田梅子：1885年華族女学校の開校時にフランス語教師として着任した筆子。同僚には英語教師の津田梅子がいた。梅子はわが国初の女子留学生として7歳で渡米、帰国後、女子英学塾（現津田塾大学）を創設した女傑。筆子と梅子が並ぶ華族女学校開学時の写真（右）が残っている。中央が筆子、右側に梅子。

（『明治の国際人』より）

滝乃川学園：東京都国立(くにたち)市にある滝乃川学園は、1891年、キリスト教精神に基づき石井亮一が創設した日本初の知的障害者のための福祉施設。この学園

石井夫妻（『明治の国際人』より）

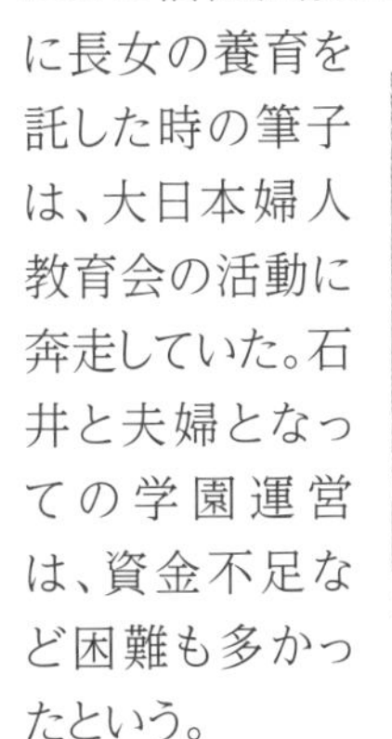

に長女の養育を託した時の筆子は、大日本婦人教育会の活動に奔走していた。石井と夫婦となっての学園運営は、資金不足など困難も多かったという。

滝乃川学園にある記念館（滝乃川学園提供）

天使のピアノ

学園に収蔵されていた筆子愛用のピアノは、正面の装飾から「天使のピアノ」と呼ばれた。わが国現存最古のアップライト・ピアノといわれ、国立市の文化財に指定されている。戦前まで、クリスマスなどの行事の折には筆子がこのピアノを演奏していたという。

（滝乃川学園提供）

市川 森一

いちかわ しんいち

1941年—2011年

脚本家・劇作家

子ども向けの「ウルトラセブン」から大河ドラマ「黄金の日日」など、人気番組の脚本を数多く手がけ、長崎を舞台とする小説も残した。故郷・諫早の市立図書館や長崎歴史文化博物館の名誉館長を務め、長崎の文化発展にも大きく寄与した。

「夢」脚本家で長崎の歴史・文化をこよなく愛す

略年表

1941年　4月17日、諫早市に誕生
1957年　県立諫早高校入学
1960年　日本大学藝術学部映画学科入学
1966年　円谷プロダクション「快獣ブースカ」で脚本家デビュー
1978年　NHK大河ドラマ「黄金の日日」脚本
1979年　新作歌舞伎「黄金の日日」、大谷竹次郎賞
1981年　「港町純情シネマ」などにより芸術選奨新人賞
1983年　「淋しいのはお前だけじゃない」、第1回向田邦子賞
1989年　「明日- 1945年8月8日・長崎」により芸術選奨文部大臣賞
2003年　紫綬褒章
2005年　長崎歴史文化博物館、名誉館長
2006年　小説「蝶々さん」長崎新聞で連載
2011年　旭日小綬章。12月10日逝去

生い立ち:諫早市生まれ。県立諫早高校から日本大学藝術学部へ進学。脚本家として特撮ドラマ『快獣ブースカ』でデビュー、NHK大河ドラマ『黄金の日日』、舞台『リセット』、映画『異人たちとの夏』、『長崎ぶらぶら節』など、幅広く作品を発表した。芸術選奨新人賞、向田邦子賞、日本アカデミー賞優秀脚本賞のほか、長崎原爆を描いた作品『明日-1945年8月8日・長崎』などで芸術選奨文部大臣賞、2011年には旭日小綬章を受章した。

長崎歴史文化博物館の「奉行所トーク」:長崎歴史文化博物館の建設の仕掛け人。2005年に開館した翌日から、亡くなる2011年10月まで名誉館長を務めた。「奉行所トーク」の講師を30回も務め、講義内容は「犯科帳」の解説がもっとも多く、長崎の女傑・大浦慶の生涯やキリシタン文化、医学伝習所に至るまで広範囲にわたった。

お白州での芝居の役者たちと

奉行所トークは30回

◉参考文献
『脚本家市川森一の世界』市川森一論集刊行委員会編(長崎文献社)
『長崎游学14 長崎文学散歩』中島恵美子編著(長崎文献社)

本明川の飛石：1957年の諫早大水害によって流された飛石は、諫早を舞台とした市川原作脚本の「親戚たち」の撮影をきっかけに1988年、復元した。
故郷・諫早で眠る：墓地は徳養寺にある。人々に「夢見る力」を伝え続けた脚本家の墓碑には「夢」の自筆文字が彫られている。

森長おこし

諫早市の銘菓「おこし」。創業200年を越える「菓秀苑　森長」は生母の実家にあたる。「南蛮の聖母の御子に捧げたやおこしは天の御恵みなれば」と故郷の味を歌に詠んだ。

菓秀苑 森長HPより

現代の足跡

2021年11月27日に諫早図書館前に市川森一の顕彰碑が建てられた。碑には役所広司の揮ごうで「魂よ元気を出せ」の石板と小崎侃作のレリーフで市川の面影を偲ぶ。

長崎歴史文化博物館の外観

画：マルモトイヅミ

伊東 巳代治

いとう みよじ

1857年—1934年

官僚・政治家

伊藤博文の側近「四天王」の一人と謳われた政治家。優秀な若手官僚として憲法調査のため伊藤の渡欧に随行。帰国後に明治憲法草案起草にあたり、自らを「憲法の番人」と称する。後に枢密顧問官となって政界の表裏に長く活躍した。

国立国会図書館

伊藤博文を支え明治憲法起草にかかわる

略年表

1857年　長崎酒屋町で誕生。フルベッキに師事、英語を修得
1871年　工部省の試験に合格して上京
1876年　伊藤博文の知遇を得て工部省に出仕した
1882年　伊藤博文の欧州憲法調査に随行。明治憲法起草に参画する
1885年　第1次伊藤内閣が誕生。伊藤首相の秘書官となる
1889年　2月11日、明治憲法発布
1890年　貴族院勅選議員になる
1891年　東京日日新聞社第3代社長
1892年　第2次伊藤内閣の内閣書記官長に就任
1898年　第3次伊藤内閣の農商務大臣を務める
1899年　山縣有朋の知遇を得て枢密顧問官となる
1934年　2月19日、76歳で死去する

◉参考文献・引用
旅する長崎学hp　第32回　新旧の「高麗橋」を結ぶ歴史散歩
『旅する長崎学8』(2008年　長崎文献社)
『伊藤博文の情報戦略』(1999年　佐々木隆著　中公新書)

生い立ち: 長崎酒屋町に生まれる。少年時代、長崎英語伝習所で宣教師グイド・フルベッキに師事して英語を修得。長崎出身の伊東巳代治に後ろ盾は何もなかったものの、語学を武器に伊藤博文から重用され、側近中の側近となった。伊藤博文の秘書官として井上毅、金子堅太郎らとともに明治憲法の起草に心血を注ぐ。

憲法草案が盗まれた!?: 伊藤らが割烹旅館「東屋」(現・横浜市金沢区)で、憲法草案作りに取り掛かっていると、ある夜に盗賊が入り、原稿が入った伊東の鞄が盗まれた。幸い翌日には書類が無事発見されたが、安全のために会議の場所を夏島にある伊藤の別荘に移して草案を完成させたという。

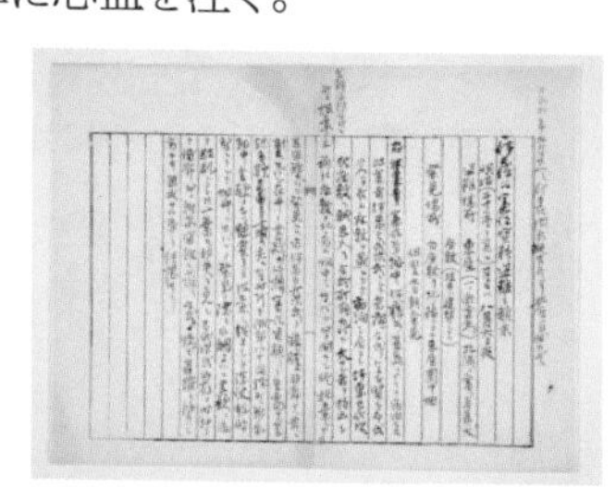

憲法草案盗難事件を記した文書 宮内庁HPより転載(横浜開港記念館蔵)

伊藤博文との間に確執: 伊藤政権下において巧みに世論操作・議会操縦を行い、有能な情報幕僚として成長を遂げた伊東。第三次伊藤内閣の組閣に際し、閣僚ポストの所望を問われ「自分に向いてるのは首相だけだが、首相は伊藤候と決まっているので何でもよい」と答えたと伝

西山ダムの建設を記念して作られた石門アーチ（藤川撮影）

えられる（伯爵伊東巳代治 上巻）。強烈な自意識と野心を持ち続けていた。

長崎に刻まれた伊東巳代治の足跡『寒奨濟我人（かんしょうさいがじん）』：新・西山ダム下の河川公園（西山4丁目）入口に伊東巳代治を顕彰するモニュメントがある。石門には「寒奨濟我人」（どんなに寒いときでも市民のために水を汲んであげましょう）という自筆の文字が刻まれており、伊東の郷土への想いが伝わってくるようだ。1900年からおこなわれた長崎市水道の拡張工事で国庫補助金獲得に尽力した活躍ぶりが記されている。

西山ダム（藤川撮影）

「寒奨濟我人」の碑

西山ダム下の河川公園にある記念碑

今里 広記

いまざと ひろき

1908年—1985年

実業家

「今里という潤滑油がなかったら、戦後の日本経済はこんなスムーズには転がってはいない」と評したのは永野重雄（新日鉄）。生まれた酒屋の経営を長兄に任せて上京後は、経営不振の会社を立て直し、その手腕が政府にも買われて、財界の取りまとめ役に徹した。

（波佐見町提供）

財界の潤滑油といわれたNTT生みの親

略年表

1908年　11月、波佐見町宿郷の造り酒屋の4男に生まれる
旧制大村中学（現大村高校）卒業後、生家「今里酒造」番頭となる
1936年　酒屋経営を長兄（東大卒）に譲り、福岡にでる
1937年　経営破綻した炭鉱を引き受け九州採炭株式会社の経営者に
1939年　詐欺に引っ掛かり丸裸同然で東京に出て軍需会社経営
日本航空機材工業、日本特殊金属工業の常務、専務を歴任
1946年　両社合併で日本金属工業の社長に就任
1948年　経営不振の日本精工社長に就任。会長、相談役まで34年間リード
1977年　池袋サンシャインシティの古代オリエント博物館理事長に
1982年　中曽根康弘総理の懇願で電電公社民営化にかかわりNTTの生みの親
1985年　5月30日、死去。享年77

◉参考文献
『はさみ100選ガイドブック』（波佐見町発行　平成19年）
ホームページ ほか

生い立ち：波佐見町の造り酒屋今里酒造の三男に生まれた。大村中学（旧制）を出て、家業に就くが、帰郷した長兄に後を託して福岡にでて、炭鉱の会社を経営したが詐欺にあって失敗。上京して軍事関係の会社経営に成功する。戦後は、労働争議で瀕死の日本精工社長となり、34年間在籍し、相談役で退いた。堅実な舵取りで政界、財界の信頼を得て、中央で長崎人の誇りを体現した。

今里広記生家（波佐見町）

経営者団体のリーダー：戦後、経済同友会の設立にかかわり、終身理事を務める。日経連顧問、経団連の常任理事、東京商工会議所常任顧問なども務めた。日本興業銀行（当時）頭取中山素平とは親友、「知恵の中山、行動の今里」といわれた。

銀座「エスポワール」：昭和30年代の政財界、文化人のサロン「エスポワール」では、今里を囲む輪が広がった。白洲次郎、五島昇、石原慎太郎、浅利慶太、今東光、升田幸三らが、夜な夜な侃々諤々の議論を展開してにぎやかだった。

波佐見盆地の中心部に今里酒造はある　（『はさみ100選ガイドブック』より）

さだまさしの「お爺ちゃん」：「精霊船」の歌がヒットした1974年、さだまさしは今里に初めて対面。今里から「偉い人に会いなさい」と誘われ、新橋の料亭「金田中」で谷川徹三、山本健吉、蘆原英了らを紹介された。さだまさしは今里を「お爺ちゃん」と呼んで、その後も宴席に呼ばれた。

文化好き：1977年に古代オリエント博物館の財団法人理事長に就任。文化振興に力を注ぐ。映画、演劇、歌舞伎にも関心を広げ、12代市川団十郎の襲名では裏方で奔走した。

北村西望作の胸像。碑文は井上靖

今里酒造：今里広記の生家は波佐見を代表する酒蔵「今里酒造」で、江戸後期を起源とすると伝えられる。創業以来の発展を物語るのは、酒蔵を中心にした建物群で、2006年には国の登録有形文化財に登録されている。店舗、住宅、中蔵、新蔵、洗い場、製品置き場などの6棟からなり、江戸期以来の醸造の歴史を伝えている。近年の銘酒「六十餘州」はさまざまな品評会で優秀な評価を得ている。

関連人脈

中山 素平

（なかやま そへい）
1906年〜2005年

今里広記の親友中山素平は、「財界の鞍馬天狗」と称された人物。中山の父が長崎出身ということでもふたりの親近感を深めた。「素平」の由来は、「素」は白より白い意味をもち、「飾らない人間になれ」という親の願いがこめられている。中山は1906年に東京府に生まれ、麻布中学、東京商科大（現一橋大）を出て日本興業銀行に入り、頭取まで務めて、戦後の日本経済界のリーダーとして、数々の企業再編の仕掛け人としても敏腕をふるった。1992年の「ハウステンボス」起業には、中心的な働きで、父の故郷長崎県の振興策に調整役を果たした。

岩崎 弥太郎

いわさき やたろう

1835年—1885年

どんな人　実業家・三菱創業者

（国会図書館蔵）

土佐の地下浪人の家に生まれた男が、長崎における藩の事業を任されたことをきっかけに、幕末から明治の激動の流れに乗って事業を拡大していく。やがて「東洋の海運王」と呼ばれるまで成功を果たし、世界的大企業「三菱」の創始者となった。

貧しい浪人から「三菱」の創始者となったカリスマ

略年表

1835年　土佐国安芸郡井ノ口村に生まれる
1854年　江戸遊学に出る。翌年、安積艮斎の塾に学ぶ
1858年　元参政・吉田東洋の門下に入る
1859年　長崎初視察で失敗
1867年　開成館貨殖局長崎出張所（土佐商会）に赴任。2度目の長崎
1870年　土佐商会大阪出張所へ。九十九商会設立
1872年　九十九商会から三川商会、翌年三菱商会と改称
1874年　台湾出兵の軍事輸送を受命、三菱蒸汽船会社に改称
1875年　郵便汽船三菱会社に改称、三菱製鉄所を創設
1881年　高島炭坑を買収
1883年　共同運輸と激しい価格競争
1885年　胃がんのため死去

生い立ち：土佐藩安芸（あき）郡井ノ口村の貧しい地下浪人の家に生まれる。12歳のとき土佐藩主の巡察の折に漢詩を献上するなど、才覚を認められたが、1859年の初の長崎視察が大失敗に終わる。郷里での晴耕雨読の日々は30歳まで続いた。運命が動いたのは、2度目の長崎での「土佐商会」勤務だった。ここで貿易のノウハウと人脈をつかんだ弥太郎は、土佐藩の事業を受け継いだ「三菱」を飛躍的に成長させた。50歳のときに胃がんで死去。

長崎の土佐商会で活躍：安政の開港後、諸藩は西洋式軍艦や武器の購入のため長崎に拠点を置いた。土佐藩も1867年「開成館貨殖局長崎出張所（土佐商会）」を設立。弥太郎は後藤象二郎からその運営を任される。オルトやグラバー、ウォルシュ兄弟など外国人貿易商たちを相手に取引をし、土佐商会の預かりとなった海援隊の坂本龍馬と交流を深めたのもこの長崎時代だった。現在、土佐商会のあった場所である長崎市浜市アーケード入口には記念碑とモニュメントが建てられている。

長崎市浜市アーケード入口にある石碑

◉参考文献
『岩崎彌太郎物語　三菱を築いたサムライたち』（成田誠一著、2010年、毎日ワンズ）
『岩崎彌太郎　三菱の誕生と岩崎家ゆかりのコレクション』（長崎歴史文化博物館、2010年）

弥太郎はサービスを徹底。
社員にははっぴと前掛けで
営業回りをさせた。
三菱です～
まいど～
このような柔和なほほえみで接客をするようにしなさい
愛敬を重んじさせているのは、近ごろの社長にはできぬこと…
岩崎は商売の本質を知っている！
福沢諭吉
三菱商会の事務所には「おかめ」の面が掲げられていた。

画:マルモトイヅミ

土佐藩の事業を受け継ぎ「三菱」発足へ:江戸から明治へ。社会の体制が激変する中で、弥太郎の運命も大きく動く。長崎の土佐商会が閉鎖されると大阪土佐商会で、目覚ましい経営能力を見せた。明治政府の藩営事業禁止令によって土佐藩が設立した私商社「九十九(つくも)商会」の経営責任者に抜擢される。廃藩置県で藩がなくなると、実質の経営者となった。九十九商会は「三川商会」「三菱商会」と名称を変え、九十九商会設立の1870年が三菱の創業年とされている。

東洋の海運王へ:弥太郎が築いた三菱の主な事業は海運業だった。社名をさらに「三菱蒸汽船会社」「郵便汽船三菱会社」と改称していきながら、国内外の有力海運業者と激しい価格競争を展開。ライバル社の航路を獲得し事業を拡大していった。三菱が国内の海運を独占するようになると、弥太郎は「東洋の海運王」と呼ばれた。

高島炭鉱跡にある弥太郎像

関連人脈

岩崎 弥之助

(いわさき やのすけ)
1851年～1908年

岩崎弥太郎の弟で三菱財閥2代目。副社長時代に兄を説得して買収した長崎の高島炭鉱は、後に三菱最大の事業となって大きな収益をもたらした。兄の死後は因縁の闘いともいえる共同運輸との競争を収め、同社と合併して「日本郵船」を設立させると、海運事業を手放す。以後は鉱業と造船業を中心にした事業の多角化を図り、現在の三菱につながる基礎を築いた。

岩永 マキ

いわなが まき

1849年—1920年

教育者・児童保護事業の先駆者

キリシタン弾圧、疫病、災害と、明治初期の荒れ果てた長崎・浦上の地で、親のいない子ども達の養育に献身した修道女。日本最初の児童施設「浦上養育院」創設者であり、「長崎の慈善ばあさん」と親しまれた。児童保護事業の先駆者。

「慈善ばあさん」と親しまれた「浦上養育院」の創始者

略年表

1849年　潜伏キリシタンの両親のもとに生まれる
1869年　「浦上四番崩れ」で岡山県の離島に配流。3年半後に帰郷
1873年　帰郷。赤痢、天然痘の流行する中で、ド・ロ神父らと救護活動にあたる
1874年　最初の孤児を引き取り「子部屋」開設。
以降45年間子ども養育に携わりつづける
1920年　マキ、72年の生涯を終える。病没後、養育院は財団法人化される
1921年　養育院焼失、翌年再建
1945年　養育院、原爆により全壊
1946年　浦上養育院として再建

生い立ち:潜伏キリシタンの両親のもとに生まれ、「浦上四番崩れ」のために一家で岡山に配流された。帰郷後、宣教師ド・ロ神父の手足となって赤痢や天然痘患者の救護活動に尽力する。増えつづける孤児・棄児の救済を決意し同志と十字会を結成、孤児養育に乗り出した。

マキとその家族:弟と3人の妹のいる長女として育ったマキは、人をまとめあげ引っ張っていく力を持っていた。大柄で男まさり、優しさと強さをもつ女性だったという。マキの父親と妹は岡山への配流「旅」の厳しい日々の中に亡くなっている。

若き日のマキ（お告げのマリア修道会蔵）

浦上養育院のルーツ「子部屋」:最初の孤児を受け入れるにあたり、マキは信者の家を仮住まいとした。のちにド・ロ神父に支援されて浦上に家を買って本格的な育児事業を開始、「子部屋」と呼ばれた。活動が広まると、皮肉にも捨てられる子の数も増加したという。

浦上で「子部屋」の事業を開始した（お告げのマリア修道会蔵）

◉参考文献
『活水論文集 第56集』「岩永マキと石井筆子の福祉実践の時代背景」徳永幸子

増えつづける孤児を育てた　　画:木村瞳子

寄付に頼らない運営を目指して:「子部屋」で子どもらを養育するマキと同志たちの共同生活は「女部屋」と呼ばれた。それはやがて「十字会」へと名称を変え、会長マキのもとに拡大していくことになる。写真は、中央の柱の影がマキ。手前には山羊の姿が写っている。農業や養蚕、機織り、日用品の行商などで懸命に生活を支えたという。

柱のそばに立つのがマキ(お告げのマリア修道会蔵)

現代の足跡

優しい眼差しは今もなお

元気な子どもたちが行き交う、現在の浦上養育院の入り口に佇むのは、幼い子どもに寄り添うマキの像。没後100年を過ぎてなお、慈愛をたたえて子どもたちの成長を見つめている。(長崎市石神町14-48)

浦上四番崩れ

浦上の潜伏キリシタンが大浦天主堂で信仰を告白したことで存在が発覚、長崎奉行所が4つの秘密教会に踏み込んだ。結果、踏み絵を拒否した大勢の信徒たちは全国22カ所に配流されることになる。「浦上四番崩れ」と呼ばれる最後のキリシタン弾圧事件である。3394名のうち613名が落命する厳しい処置だった。マキ一家は1869年12月の第二次流配で、岡山藩の鶴島に送られる。配流=「旅」は3年半に及んだ。

隠元 隆琦

いんげん りゅうき

1592年—1673年

どんな人　唐僧・日本黄檗宗開祖

臨済宗の僧で日本黄檗宗の開祖。長崎の唐寺の高僧たちの度重なる招きに応じて1654年来日し、1661年には幕府の要請に応えて、京都の宇治に黄檗山萬福寺を開山。隠元らがもたらした文化文物は、宗教のみならず多方面に大きな影響を与えている。

明朝体や普茶料理を日本に伝えた臨済宗の高僧

略年表

1592年　中国福建省に生まれる
1620年　28歳、黄檗山萬福寺にて出家。長崎最初の唐寺興福寺がこの年開創（諸説あり）
1637年　中国福建省の黄檗山萬福寺の住持となる
1646年　明朝が滅亡する
1652～3年　長崎の唐人らがたびたび渡来を招請
1654年　隠元63歳、長崎に上陸。興福寺や崇福寺で多くの言葉をのこす
1655年　慈雲山普門寺（大阪府高槻市）に入る
1661年　70歳、黄檗山萬福寺を京都に開創
1664年　萬福寺住持を退く
1673年　82歳で死去

◉参考文献・引用資料
『旅する長崎学⑯』
長崎県文化振興・世界遺産課『隠元禅師と黄檗文化』HP
東明山興福寺HP
黄檗宗大本山萬福寺HP

生い立ち:福建省の黄檗山萬福寺にて得度、のち同寺の住持に就任していた。江戸時代初期、63歳時に長崎の唐寺・興福寺の逸然らからの度重なる招きに応え、20人ほどの弟子とともに鄭成功の仕立てた船で来日する。約束の3年間で帰国を望むも叶わず、将軍家綱より与えられた寺地に70歳にして黄檗山萬福寺を開き、日本黄檗宗の開祖となった。

熱烈歓迎! 隠元禅師:長崎に入港した翌日、招請の中心となった興福寺逸然と唐僧たち、長崎奉行、多くの檀徒に迎えられて興福寺に入った。高名な隠元禅師の説法を聞こうと、数千人が集まったという。その後も各地から何百人もの学徒が参集したため、興福寺では、外堂など建て増して彼らを住まわるなど対応に追われた。

隠元禅師、興福寺に入る図（萬福寺蔵）

わが国最初の黄檗寺院「興福寺」:2020年に創建400周年を迎えた長崎の興福寺は、「隠元禅師初登の宝地」として史跡に指定されている。歴史を感じさせる赤い山門

画:ヤマモトシホ

を見上げれば、隠元の渡来後の初筆の書。赤く塗られたお堂、黄檗天井と呼ばれるアーチ型天井構造など唐寺ならではの特徴的な造りである。中でも中心となる大雄宝殿(だいゆうほうでん)は、中国で切り組みされた木材を使用して中国人工匠によって建てられたという。

黄檗文化①卓袱料理のルーツ、中国風精進料理「普茶料理」:普茶=「普(あまね)く、お茶を」。黄檗宗では、法要の前や後に皆で円卓を囲んで茶を飲みながら話し合い、さらに打ち上げとして供物を料理して振るまうこともあった。一人ひとりのお膳で食べていた日本人にとって、皆で大皿をつつくスタイルは新鮮だったことだろう。インゲン豆も隠元が日本に持ちこんだものとして有名。

普茶料理(興福寺HPより)

黄檗文化②定番フォント「明朝体」:漢字の明朝体のフォントは、もともと宋代に使い始められ、日本へは明代の隠元の語録や年譜などで普及した。垂直水平で全体が正方形になるよう各パーツが均等に割り振られる字形は、活字として彫刻する際に都合が良い。現在でも印刷書体として広く使用されている。ちなみに中国では「宋体」と呼ぶのが一般的なようだ。

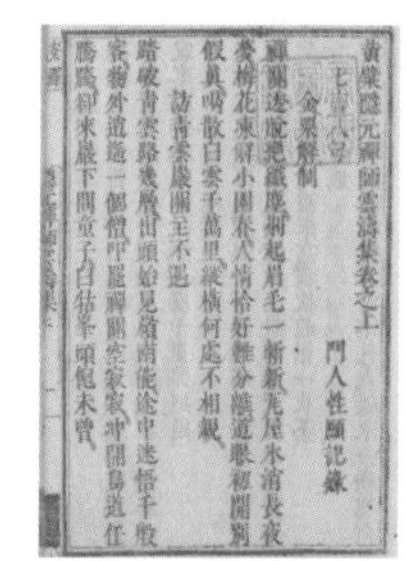
黄檗隠元禅師雲濤集巻之上
門人性願記録

明朝体で書かれた書物『隠元禅師雲涛集』

植木 元太郎

うえき もとたろう

1857年―1943年

実業家・政治家

島原鉄道提供

島原半島を1周する鉄道建設の夢を生涯もちつづけた実業家。島原市の霊丘公園に北村西望作の銅像が立つ。宮崎康平は碑文に「植木翁は島原鉄道の創設者だけではなく、明治、大正、昭和の半世紀にわたって、政治や文化や観光を開発し、今日の基礎を作った人です」と記している。

島原鉄道の父、半島一周の鉄道敷設を夢見た

略年表

1857年　8月2日、島原半島多比良村（現国見町）で生まれる

1847年　父が死亡、17歳で家督相続。酒造業、養蚕に尽力

1889年　多比良村村議会議員に当選。のちに3回再選。

1897年　鉄道免許の申請を繰り返し「鉄道狂」と呼ばれる

1902年　衆議院議員に当選

1908年　島原鉄道株式会社を創設。専務取締役に就く

1911年　鉄道院払い下げの1号機関車で諫早―愛野間に営業開始

1913年　島原鉄道全線（諫早―島原湊）が全通

1923年　温泉鉄道（愛野―千々石）、4年後、小浜鉄道（千々石―小浜）開通

1938年　合併して雲仙鉄道としたが、業績不振で解散

1940年　市制施行で初代島原市長に当選。2年後、市長辞任

1943年　1月25日没。享年85

生い立ち:島原半島の多比良村（現国見町）で生まれ、17歳で家督を継ぎ酒造業に就く。父直平は、日田の咸宜園で広瀬淡窓に学び、「思誠堂」の屋号を贈られた名家。元太郎は家業のほかに、養蚕、製糸の発展に心をくだく。自宅を「明治会堂」と名付けて若者の議論の場とした。金融や政治にも関心をむけるが、生涯の夢はやはり「鉄道」だった。

明治の「鉄ちゃん」:鉄道敷設に傾倒して「鉄狂斎」と自称、1911年に諫早―愛野間で島原鉄道営業開始。1913年には諫早から島原湊まで42.3キロを全通させ、1919年には口之津まで島原循環鉄道を全通させる。鉄道で島原半島1周させる構想を持っていたが実現しなかった。晩年に島原市長に当選するが1年弱で辞任。85歳で没する。

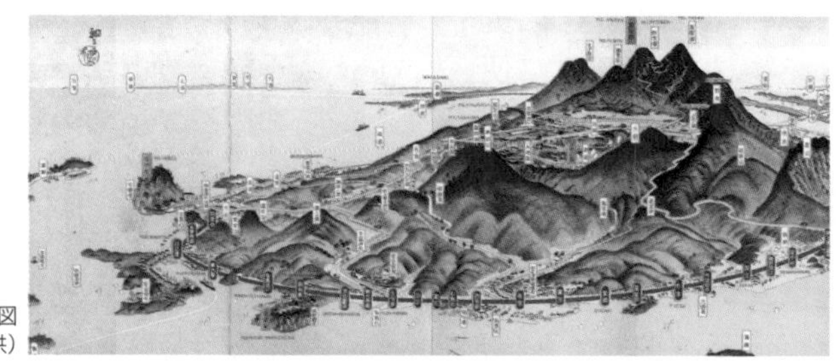
絵師吉田初三郎が描いた島原鉄道の図
（橋本正信氏提供）

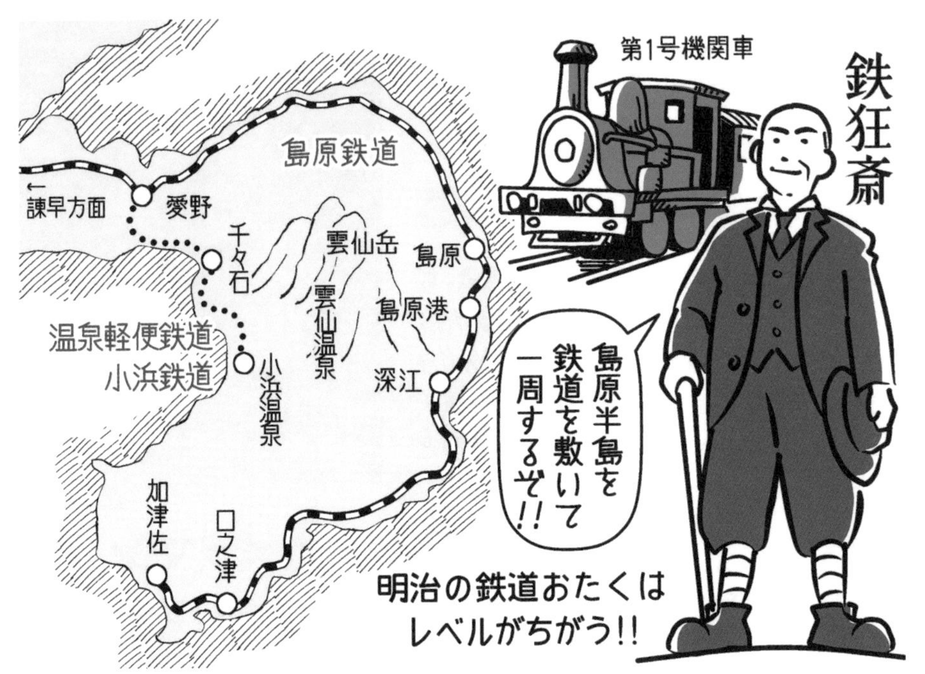

画:マルモトイヅミ

日本初の1号機関車:島原鉄道開通時に、鉄道院から払い下げられた蒸気機関車に新橋ー横浜間を日本で初めて走った1号機関車が含まれていた。昭和になって保存の声が上がり、鉄道省は島鉄に返還を打診したが、断られた。結局、1号機関車は代替え機関車と交換して鉄道省に戻された。1930年に諫早駅で鉄道省に引き渡すとき、植木社長は「惜別感無量」と銘板に記し別れを惜しんだ。

1号機関車に元太郎が別れを惜しんで記した銘板

現在、1号機関車はさいたま市の鉄道博物館に銘板とともに展示されている。

現代の足跡

島原鉄道の「霊丘公園体育館駅」は、2019年までは「島鉄本社前」という駅だった。この公園の植木元太郎銅像は最初1928年に立てられたが、戦争中に供出となり台座だけ残った。戦後再建され、2度とも北村西望の作である。銅像は島鉄を見つめて立っている。

上野 彦馬

うえの ひこま

1838年—1904年

どんな人　写真家

（長崎公園の胸像）

日本で初めて写真術を職業にした先駆者。坂本龍馬、高杉晋作など著名な志士の写真が今に残るのは彦馬の写真による。写場を総ガラス張りにするなど、良い写真のためには莫大な金を惜しまなかった。天体写真、戦跡写真といった記録撮影にも大きな功績を残している。

写真術を極めた日本初のプロカメラマン

略年表

1838年　長崎銀屋町に生まれる
1853年　広瀬淡窓の咸宜園に入門
1858年　長崎医学伝習所でポンペから化学を学ぶ
1859年　長崎に来たフランス人写真家・ロシェに写真術を学ぶ
1862年　『舎密局必携』全3巻を刊行。「上野撮影局」を開設
1874年　金星太陽面通過観測のアメリカ観測隊に加わり天体写真を撮影
1877年　西南戦争に従軍カメラマンとして随行し戦跡撮影を行う
1890年　ウラジオストック支店開設。第3回内国勧業博覧会で最高賞受賞
1891年　上海支店、香港支店を開設。来日したロシア帝国ニコライ皇太子を撮影
1893年　シカゴ開催のコロンブス・アメリカ大陸発見400年記念博覧会で最高賞を受賞
1904年　胆管閉塞および胆嚢水腫により死去。享年66歳

◉参考文献
『上野彦馬 歴史写真集成』（馬場章編、2006年、渡辺出版）
『和魂洋才肥前国人物伝 壱』（佐藤康明著、2008年、カステラ本舗福砂屋出版）

生い立ち:長崎銀屋町に、御用時計師・上野俊之丞の次男として生まれる。俊之丞は好奇心旺盛な男で、立ち上げた新事業は、製薬、更紗の製造販売、和時計の装飾、火薬原料の硝石製造など幅広い。彼のメモには「ダゲレオタイプ（銀板写真機）」のスケッチも残っていた。芸術的センスは、息子の彦馬に受け継がれた。父を13歳のとき亡くした彦馬は若くして家督を継ぐ。

ポンペに出会い化学と写真術を学ぶ:医学伝習所でオランダ軍医ポンペの「舎密（せいみ）試験所」に入学。「舎密」とは化学のこと。そこには親友となる津藩士・堀江鍬次郎もいた。二人は、ポンペの指導を受けながら苦心の末、カメラと湿板用の薬品を自作することに成功した。

彦馬（後列中央）と家族の写真（長崎大学附属図書館蔵）

画:ヤマモトシホ

上野撮影局を開業:1862年、中島川沿いに「上野撮影局」を開設。横浜の下岡蓮杖と並んで日本初の職業カメラマンとなった。撮影料は高額だったが、外国人たちが写真の質の高さに注目し評判になる。高杉晋作、桂小五郎、坂本龍馬といった維新の志士や著名人が彦馬のカメラの前に立った。1882年に新築された総ガラス張りの写場を見た人々は「ビードロの家」と呼んだ。

日本初の天体撮影や戦跡撮影:100年に一度の「金星の太陽面通過」観測のため、1874年に各国から観測隊が来日。彦馬はアメリカ観測隊に加わり、長崎の太平山(現星取山)で撮影した。1877年には西南戦争の従軍カメラマンとなり、田原坂など戦場の記録撮影を行った。どちらも日本で初めて。

現代の足跡

彦馬の撮影局があった中島川沿いに、「上野撮影局跡」がある。ここで撮られた坂本龍馬の写真と同じポーズで記念写真が撮れるように、写真機と肘置き台のモニュメントが設置されている。横には「上野彦馬宅跡」の碑も。長崎公園には晩年の彦馬の面影を映した胸像が建つ。

関連人脈

内田 九一

(うちだ くいち)
1844年〜1875年

長崎の万屋町で生まれ、幼児期に両親を亡くし、叔父の吉雄圭斎に育てられ、オランダ語を学ぶ。海軍伝習所に赴任してきたポンペに、上野彦馬らとともに舎密学(化学)を習い、松本良順からも庇護を受け、写真術を取得する。長崎では彦馬が成功を収めていたが、九一は大坂に出て写真館を開業。その後、横浜や明治になって東京でも開業して評価を高め、明治天皇の西国巡幸に同行撮影を拝命する。役者や芸者を数多く撮影して、「写真師」として高名をとどろかせたが、肺結核にかかり、1875年32歳で逝去する。内心、上野彦馬に対するライバル意識がバネになって成功を得たといわれている。

梅屋 庄吉

うめや しょうきち

1868年—1934年

どんな人　実業家・孫文の支援者

国際感覚に優れた実業家であり、日本活動写真株式会社（のち「日活」）創立など、日本映画草創期に一大旋風を巻き起こした人物として知られる。そこで得た莫大な利益を投入し、盟友・孫文とその活動を物心両面で支えつづけた。

孫文を助けた長崎出身のやんちゃ実業家

略年表

1868年	11月26日、長崎市で生まれる
1894年	結婚、香港で写真館を開く
1895年	孫文と出会う
1906年	帰国後、長崎で上映会
1906年	東京を拠点に映画制作・興行
1911年	辛亥革命に撮影隊を派遣
1912年	「日活」取締役就任
1913年	日本に亡命した孫文を支援
1914年	インドの革命家を支援
1925年	孫文、北京で死去
1929年	「孫文像」を中国へ
1934年	11月23日、死去

生い立ち:生後間もなく現在の長崎市西浜町「梅屋商店」の養子となり、奔放な少年時代を送る。密航同然で行った上海に衝撃を受け、長じて再び大陸へと渡り、香港で写真館を開業。以降、活動写真ビジネスに関わる。2歳年上の孫文と意気投合したのは27歳の時。その生涯を通して「革命の父」孫文と交流した。

やんちゃ盛りの10代:庄吉が赤ん坊のころ、岩崎弥太郎が梅屋商店の借家に住んでいた。幼い庄吉を背負ってくれたこともあるという。優秀な庄吉は小学校を飛び級で卒業した。日記によれば、卒業旅行に関西に行き、遊廓に飛び込んでつまみ出されたとか。

10歳のころの庄吉

梅屋庄吉と妻トク、孫文:妻トクは家業を切り盛りしながら、孫文らが集う日中の革命志士たちの世話をするなど庄吉を支えつづけた。長崎市松ヶ枝国際ターミナル前には、強い絆で結ばれた彼らの銅像が置かれている。

現在の長崎市松が枝に建つ3人の像

◉参考文献
『梅屋庄吉の生涯』（小坂文乃　長崎文献社　2012）
（掲載写真すべても）

日活創立時の写真。中央和服姿が庄吉

「日活」の創立:シンガポールでの映画興行大成功を引っ提げて、黎明期にあった日本映画界に乗り込んだ庄吉。割引クーポン導入、海外の教育映画での啓蒙活動、南極探検隊や辛亥革命の撮影……映画界の風雲児と呼ぶにふさわしい活躍だった。

「孫文の偉業を後世に伝えたい」:孫文の訃報は、その長男から庄吉にもたらされた。庄吉は「先生は中国革命の大恩人にして世界的偉人なり。今日逝去せらるるに至りしは、貴国のみならず東洋全体の不幸に候」と弔文を返している。葬儀での庄吉は、孫文の親戚待遇で棺に寄り添ったという。後日、盟友の勇姿を銅像にして中国へ贈った。4基の銅像は現在も中国各地の学校・大学などに置かれている。

庄吉は孫文の像を作り寄贈した

庄吉は
飛び級で
10歳で卒業
当時三百円を
(今で二百万円ほど)
家から持ち出し
豪遊
わくわく
14歳で
上海へ
これが
写真館を
つくる下地に
なる
庄吉18歳
早くから
世界へ目を向けた
ちょっとやんちゃな
モダン長崎ボーイだった

画:橋口美子

遠藤 周作

えんどう しゅうさく

1923年―1996年

作家・文化勲章受章

日本を代表するキリスト教作家。日本人とキリスト教をテーマに弱者の視点で多くの名作を送り出す。長崎で起こったキリスト教迫害の史実をもとに書かれた『沈黙』はベストセラーを記録。2016年にマーティン・スコッセシ監督によって映画化された。

長崎を舞台にした小説を多数執筆した理由

略年表

1923年　東京巣鴨に生まれる
1926年　父の転勤で満洲大連に移る
1933年　両親が離婚し母親と帰国
1935年　母親が洗礼を受け、遠藤も兄と一緒に洗礼を受ける
1944年　徴兵検査を受けるも入隊一年延期、そのまま終戦を迎える
1950年　留学生としてフランスへ
1955年　『白い人』で芥川賞を受賞
1957年　「文學界」で『海と毒薬』を発表。文壇的地位を確立
1961年　肺結核が再発
1964年　長崎旅行。初めて踏絵を見る
1966年　『沈黙』を刊行、ベストセラーに
1982年　『女の一生』刊行
1993年　腎臓病で入院。『深い河』を刊行
1995年　文化勲章受賞。脳内出血で入院
1996年　9月29日、73歳で死去

◉参考文献
『遠藤周作と『沈黙』を語る』(2017年　長崎文献社)
『沈黙の声』(2017年　青志社)
『日本紀行』(1974年　講談社)
『女の一生　一部・キクの場合』(遠藤周作　1982年　朝日新聞社)

生い立ち:東京巣鴨に生まれる。3歳の時、銀行員の父親の転勤で満洲・大連に家族で移り住んだ。10歳の時に両親が離婚し母親と帰国、伯母がいた神戸に暮らし翌年洗礼を受ける。1943年慶應義塾大学文学部予科に入学、堀辰雄と知り合い強い影響を受けた。終戦を迎え、大学卒業後「三田文学」にエッセイや評論を発表。27歳の時にフランスに留学する。

「白い人」で芥川賞受賞:フランス留学時の体験がキリスト文学の作家になることを決定づけた。肺結核にかかり約2年で日本に戻った。1955年に小説『白い人』で第33回芥川賞を受賞、吉行淳之介や安岡章太郎らと「第三の新人」として注目された。

キリシタン文学:1957年「文學界」に、大戦時に白人捕虜に対し人体実験を行った実話をもとにした『海と毒薬』を掲載。評論家から高い評価を得て文壇の地位を確立した。1959年、最初のキリシタン小説『最後の殉教者』を発表。1965年、書き下ろしの長編『沈黙』はベストセラーを記録して第二回谷崎潤一郎賞を受賞した。

『沈黙』誕生のきっかけ:肺結核が再発した遠藤は三年間の入院生活を送り、命に関わるような手術も受けた。この期間中にキリシタン時代の書籍を多く読んだという。

「沈黙の碑」のむこうに文学館が　　画:西岡由香

退院後、「明るいところに行きたい」という衝動に駆られた遠藤は来崎。偶然入った南山手の資料館で足跡がついた「踏絵」と出会い、これをモチーフに『沈黙』を書くに至った。

狐狸庵先生:ユーモア精神あふれるエッセイを狐狸庵(こりあん)先生と称して量産。音痴だけの合唱団「コール・パパス」や素人劇団「樹座(きざ)」を結成。一方で、肺結核、糖尿病、肝臓病と入退院と手術を繰り返す病と戦った人生でもあった。1996年9月29日慶應義塾大学病院で死去。享年73。

遠藤周作と長崎:遠藤は『女の一生　一部・キクの場合』の後書きに、長崎の「厚い層」を持った歴史は自分を成長させてくれた母体であり、一人の小説家にとって、このような街にめぐりあったことは生涯の幸福であると記している。初めて長崎を訪れたとき、展示されている踏絵を見たことから『沈黙』が生まれたのであり、キリスト文学の舞台となる地長崎との関係は深いものがある。

現代の足跡

遠藤周作文学館

長崎県長崎市東出津町77番地　0959-37-6011

2000年5月1日、長崎市郊外の外海町(当時西彼杵郡)に「遠藤周作文学館」がオープンした。『沈黙』の舞台「トモギ」がここをモデルにしたといわれている。遠藤順子夫人の意向を汲んで、遠藤のすべての蔵書や遺品が所蔵されている。作品に因む催しや展示会には、全国、世界から遠藤ファンが訪れている。

大浦 慶

おおうら けい

1828年—1884年

実業家・茶貿易で成功した女傑

日本における茶貿易の先駆者。最盛期には幕末の志士への援助を惜しまず、亀山社中（のち海援隊）の面々も慶の屋敷によく出入りしていたという。英商人のトーマス・グラバーや小曽根乾堂（こそねけんどう）らとも親交があった。

上野彦馬撮影

貿易で外国に茶文化を普及した女性実業家

略年表

1828年　6月19日、長崎油屋町にて誕生
1843年　油屋町など526戸が焼失する大火に見舞われる
1844年　天草の庄屋の息子を婿養子に迎えるが、祝言の翌日に追い出してしまう
1853年　出島在留のオランダ人テキストルに嬉野産の茶見本を託して外国に送る
1856年　イギリス人貿易商ウィリアム・オルトが来崎、大量の茶を受注する
1860年代後半　次第に長崎の茶の輸出量が減り始める
1871年　詐欺事件（遠山事件）に巻き込まれ、賠償金を支払い没落
1884年　県令石田英吉が農商務省に対し、慶に賞典をあげるよう要請
1884年　政府は、慶に茶業振興功労褒賞と金20円を贈る
1884年　4月13日、57歳で死去

生い立ち：長崎油屋町の油問屋「大浦屋」の一人娘として生まれる。大浦家は二百年以上続く旧家で、代々油問屋の油座総代を務めていたが、幕末になると経営難に陥った。16歳のとき慶は油商に見切りをつけ、いち早く製茶貿易に目をつけ、茶の輸出を始める。

茶貿易での成功：ペリーが初来航した1853年に、嬉野茶の見本を出島のオランダ商人テキストルに託して海外への販売に挑戦した。この試みが当たり、3年後、イギリス商人ウィリアム・オルトから大量の注文を受けることになり、慶は長崎の一大貿易商にのし上がった。大浦慶が長崎港から輸出した茶箱はスエズ運河のない時代だったので、喜望峰を回ってアメリカに売られていた。

遠山事件：長崎の茶の輸出量が衰退してきた1871年、詐欺事件に巻き込まれる。熊本藩士・遠山一也（とおやまいちや）から「熊本産煙草をオルト商会に売りたいので、手付金三千両を受けとる際の保証人になって欲しい」と頼まれ、慶はその依頼に応じた。ところが、約束の期限にも煙草は送ってこない。裁判となり、慶はただ連判したという理由だけで多額の賠償金の支払いを命じられる。この事件によって大浦家は没落の道をたどったものの、慶は自力で借金を完済した。

◉参考文献
『長崎商人伝 大浦お慶の生涯』（2002年 小川内清孝著 商業界）、
『大浦慶女伝ノート』（1990年 本馬恭子著）

長崎港から茶箱が輸出された　　画:木村瞳子

大浦慶居宅跡:長崎市油屋町にある大浦慶居宅跡は426坪ほどの広大な敷地だったという。住居跡は史跡「我が国製茶貿易の開拓者　大浦けい居宅跡」と刻まれた石碑が建っている。近くには、後年来日した孫文(そんぶん)の足跡を記した記念碑も建つ。

旧住居跡に立つ石碑(藤川撮影)

(長崎歴史文化博物館蔵)

1860年代の撮影とされる大浦慶:幕末から明治にかけて茶貿易で成功した、長崎三大女傑の一人。

日本茶の歴史

1191年、栄西(えいさい)禅師が中国(宋)から茶の種子を携えて長崎平戸島に帰着、禅道場「富春庵」の畑にその種子を播いたのが日本茶栽培の始まりといわれる。1654年には、中国(明)から長崎に渡った隠元(いんげん)禅師が釜炒り茶の製法を伝承。これを機にお茶が庶民の飲み物として普及する。時を経て、幕末の動乱期に長崎の大浦慶が茶貿易に乗り出し、日本茶を世界に広める立役者となった。

大隈 重信

おおくま しげのぶ

1838年—1922年

日本初の政党内閣を作った政治家

国立国会図書館蔵

明治政府成立に際し、参与兼外国事務局判事に登用されて長崎に在勤。大蔵卿、参議などを歴任する。グレゴリオ暦の導入、鉄道の敷設、貨幣制度の整備、東京専門学校（早稲田大学）の開校、日本で初めて政党内閣を作るなど近代化に大きく貢献した。

早稲田創設者は英語塾「致遠館」から出発

略年表

1838年　父信保、母三井子の長男として生まれる
1844年　佐賀藩校弘道館の外生寮に入る
1855年　弘道館を退学させられ、尊皇派の義祭同盟に参加する
1865年　長崎に游学。フルベッキより英語を学び、「致遠館」を設立
1868年　参与兼外国事務局判事として長崎で働き、パークスと交渉する
1882年　立憲改進党を結成。東京専門学校（後の早稲田大学）を開校
1888年　第一次伊藤博文内閣において外務大臣となる
1889年　暴漢に爆弾を投げられて負傷し、右脚を切断する
1898年　憲政党を結成、第1次大隈内閣をつくる。11月に内閣解散
1914年　第2次大隈内閣を組織する（首相兼内相）
1922年　1月10日、85歳で死去。国民葬に約30万人が参列

生い立ち：佐賀藩士の長男として誕生。長崎の警備に注力していた藩主鍋島直正（なべしまなおまさ）は、秀才の誉れ高い大隈重信を長崎に派遣。重信は宣教師グイド・フルベッキの門をたたき、英語やアメリカ憲法、聖書、西洋の思想を学んだ。

イギリス公使ハリー・パークスとの舌戦：長崎で外国事務局判事だった大隈は、キリスト教徒処分問題でイギリス公使ハリー・パークスとの交渉にあたる。パークスは、冷静に反論しキリスト教史にも通じていた大隈に驚き、尊敬の念すら抱いている。パークスは、大隈の事業を助けてくれる存在となる。

逸材を輩出した「致遠館」：英語塾「致遠館」にはフルベッキを招き、佐賀藩諫早屋敷（現長崎市五島町）に設立され、藩校ながら門戸を開いたので、全国から多くの若者が入塾した。タカジアスターゼの発見者高峰譲吉（たかみねじょうきち）も生徒のひとり。明治政府の中心的人物岩倉具視（いわくらともみ）は、自分の二人の息子を留学させた。

佐賀藩諫早屋敷跡に立つ致遠館の石碑

◉参考文献
『大隈重信 民意と統治の相克』（2017年 真辺将之著 中公叢書）、
『ビジュアル近代日本の1000人』（2010年 近現代史料編纂会著 世界文化社）

早稲田大学に立つ大隈重信像

早稲田大学の大隈重信像:没後10回忌に作られた大隈重信の彫像。右足を失った後の姿をモデルにしたため、杖をついているのが大きな特徴だ。大隈講堂に並ぶ、早稲田大学のシンボルになっている。受験期には受験生の合格祈願として賽銭が投げ込まれることも。

佐賀県にある大隈重信記念館:生誕125年を記念して建てられた記念館は、2015年にリニューアルオープンした。館内には、大隈にまつわる歴史資料が多数展示されている。近くには、生家跡が史跡として保存され、公開されている。

(記念館所在地:〒840-0054 佐賀市水ヶ江2丁目11番11号TEL / FAX:0952-23-2891)

大隈重信記念館

大隈重信がこよなく愛した佐賀銘菓丸ぼうろ

大好物だったのが佐賀銘菓、丸ぼうろ。帰郷の際に菓子屋「鶴屋」の丸ぼうろを食べたところ大変気に入り、大隈が東京でこの故郷の味を懐かしんでいると聞いた「鶴屋」の主人は職人を連れて上京、東京の大隈邸内に窯を築いて、丸ぼうろをふるまったという。

(鶴屋提供)

大村 純忠

おおむら すみただ
1533年―1587年

どんな人　日本初のキリシタン大名

大村家第18代当主。日本で初めてのキリシタン大名。自領の横瀬浦や長崎を南蛮貿易のために開港し、長崎が近代まで続く海外貿易港として発展する端緒を開いた。敬虔なキリシタンであり、日本で初めてのヨーロッパ公式訪問団「天正遣欧使節」をローマに派遣した。

長崎を「小ローマ」にした日本初のキリシタン大名

略年表

1533年　有馬晴純の次男に生まれる
1550年　大村家を相続（17歳）
1562年　大村領の横瀬浦を貿易港として開港
1563年　横瀬浦でキリスト教洗礼、焼き討ち撃退
1565年　前年に焼き討ちされた横瀬浦の代わりに福田を開港
1571年　長崎が貿易港として開港される
1574年　大村領内の社寺が焼き払われる
1577年　萱無田合戦。龍造寺軍と萱瀬で戦う
1580年　長崎・茂木をイエズス会へ寄進
1582年　天正遣欧使節が長崎を出発
1587年　坂口館（現「大村純忠史跡公園」）で死去

生い立ち:島原半島を支配する有馬晴純（ありまはるずみ）の次男として誕生、4歳のとき大村家の養子となる。そのため大村家の実子でありながら養子に出された武雄の後藤貴明（たかあき）をはじめ、大村領を狙う周辺の大名たちとの戦いが続いた。南蛮貿易を受け入れたのは、地位を固め領内を繁栄させるためでもあった。晩年はガンと結核を患いながら終生キリシタンとして過ごす。純忠の死の1カ月後に豊臣秀吉の「伴天連（ばてれん）追放令」が発布された。

日本で初めて洗礼を受けた大名:平戸に代わる貿易港を探していたポルトガルに、大村領内の横瀬浦を開港するとたちまち町は栄えた。そうした南蛮貿易のメリットだけでなく、キリスト教の教えに魅せられた純忠は1563年、横瀬浦の教会で20人の家臣らとともに洗礼を受ける。日本初のキリシタン大名「ドン・バルトロメウ」の誕生であった。

大村純忠が洗礼をうけたシーンのタイル絵（横瀬浦公園）

◉参考文献
『キリシタンになった大名』（結城了悟著、1999年、聖母の騎士社）
『日本史2　キリシタン伝来のころ』（ルイス・フロイス著、柳谷武夫訳、1965年、平凡社）

長崎を貿易港として開港した功績は大きい　画:西岡由香

長崎・茂木を寄進し教会領に:横瀬浦は開港からわずか1年あまりで後藤貴明によって焼き討ちされてしまう。より良い開港地を求めて、大村領の福田を経て長崎へ。当時の長崎はさびれた村だったが天然の良港があり、1571年にポルトガル船が来航した後は南蛮貿易港として大いに栄えた。純忠が長崎を守るため1580年に長崎・茂木をイエズス会に寄進すると、ヨーロッパさながらに繁栄した町の様子は「小ローマ」と呼ばれるほどだった。

天正遣欧使節を派遣:純忠は、同じくキリシタン大名である大友宗麟(そうりん)、有馬晴信と共に、日本初のヨーロッパ公式訪問団「天正遣欧使節」をローマ教皇のもとに派遣した。選ばれた少年使節は、有馬のセミナリヨで学ぶ伊東マンショ、千々石ミゲル、中浦ジュリアン、原マルチノの4人。1582年に長崎港を出発した彼らはヨーロッパ各地で大歓待を受け、8年後の1590年に帰国した。純忠は彼らの帰国を見ることなく亡くなり、日本では伴天連追放令が発布されていた。

現代の足跡

長崎自動車道大村IC近くに、純忠が晩年を過ごした坂口館跡がある。建物は残っていないが、こんこんと泉水が湧き出る「舘(たち)の川」に昔をしのぶことができる。現在は庭園跡を中心に整備され「大村純忠史跡公園」(大村市指定史跡)として公開されている。

長崎の人々と、長崎の未来をつくる。
AMU
NAGASAKI
株式会社ＪＲ長崎シティ

Who's Who Nagasaki 100

II

何高材	草野丈吉
勝海舟	久保勘一
金子岩三	倉田次郎右衛門
神近市子	栗原玉葉
川原慶賀	グラバー
北村西望	ケンペル
北村徳太郎	古賀十二郎
木下逸雲	小曾根乾堂
日下義雄	小山秀之進

何 高材

がこうざい
1598年—1671年

唐人の貿易商

中国福州から長崎に渡り、唐船貿易で財を成す。唐寺・崇福寺(そうふくじ)の大雄宝殿や仏像、清水寺の本堂などを寄進した。それらは現在、国宝などの指定文化財となり、長崎の名勝となっている。唐通事(とうつうじ)となった息子の何兆晋(がちょうしん)は、片淵に別荘「心田庵(しんでんあん)」を作り、いまも風情あるたたずまいを見せる。

国宝となる寺院・仏像を寄進した唐人の豪商

略年表

1598年　福建省福州に生まれる
1628年ごろ　長崎に住む
1646年　崇福寺大雄宝殿を寄進
1653年　崇福寺本尊など寄進
1654年　百尺橋をつくる
1655年　『黄檗和尚全録』を上梓
1658年　兆晋、唐小通詞となる
1668年　清水寺の本堂再建を始める
同年ごろ　息子・兆晋、片淵に「心田庵」を建てる
1671年　死去

生い立ち: 福建省福州に生まれる。貿易商として長崎に渡り、1628年ごろには長崎に居住していた。

寄進した拝殿が国宝に: 長崎に永住が許された「住宅唐人」となった何高材は、貿易により財を成した。キリシタン禁制が唐人にも及んで仏寺を建立する機運が高まり、1629年に福建省出身者による崇福寺が開かれる。その本殿にあたる大雄宝殿に多額の寄進をするなど、高材は「四大檀越(だんのつ)」と称された。「檀越」は「だんおつ」とも読み、仏教用語で僧に布施する信者、信徒のこと。

崇福寺第一峰門(国宝)

崇福寺大雄宝殿(国宝)

◉参考文献
『新長崎市史』(近世編)、清水寺HP

福建省出身者による崇福寺は「福州寺」とも呼ばれた　　画:木村瞳子

中国と日本を結ぶ: 高材はほかにも、材木町から榎津町に「百尺橋」なる石橋を寄進(現在の賑橋の地)。清水寺の本堂も、息子の何兆晋、何兆有(ちょうう)とともに再建する。本堂は中国の様式と技術を随所に取り入れた和華折衷の建築となった。亡き妻の供養のためとされ、完成は高材の死後であった。

心を耕す庵: 息子・何兆晋が片淵の地に建てた別荘は、子々孫々まで心を耕す田となるよう「心田庵」と名付けられた。兆晋亡きあとも茶事などで多くの人々が集った心田庵は、現在長崎市の史跡となり、春の新緑、秋の紅葉の時期には、一般公開されている。

長崎らしい寺町

キリスト教が禁じられたのち、長崎の町を取り囲むように寺社が建てられ、寺町を形成した。しかしそこは長崎。唐人たちの菩提寺として、崇福寺や興福寺などの唐寺も並んでいる。さらには一見「和風」である清水寺に中国風の建築が取り入れられたり、御朱印船の航海安全祈願絵馬が奉納されるなど、中国と深く結びついた長崎らしさがある。

現代の足跡

何高材が寄進した建物が残る崇福寺や清水寺は拝観できる。清水寺本堂の裏には、本堂再建を祈念した石碑も建つ。息子・兆晋による心田庵の公開は期間限定。

心田庵(長崎市片淵)

勝 海舟

かつ かいしゅう

1823年―1899年

幕末・明治に活躍した政治家

幕末にオランダの助言によって設立された長崎海軍伝習所に入門、旗本の立場で塾頭となる。海舟は第一期、二期にわたって塾頭をつとめ、長崎に4年間滞在した。坂本龍馬、西郷隆盛らとの深い人間関係によって、幕末、維新の歴史的な転換期に幕臣としての重責を果たす。

海軍伝習所の塾頭、長崎に龍馬を誘う

略年表

1823年　旗本、勝小吉の長男として江戸で生まれる
1853年　ペリー来航。幕府に海防意見書を提出して注目される
1855年　幕府の役人となり、長崎の海軍伝習所の伝習生(塾頭)となる
1860年　日米修好通商条約の文書交換の使節団として咸臨丸で太平洋を横断
1868年　戊辰戦争。西郷隆盛と会見。江戸城明け渡しを約束
1872年　海軍大輔となる
1875年　免官となるも、相談役として旧幕臣の面倒を見る
1888年　枢密顧問官に就任
1892年　福澤諭吉「瘠我慢之記」への返書を書く。息子の小鹿が病死
1899年　77歳の時、病気で倒れ死去

生い立ち:旗本(幕府の家臣)の子として江戸で生まれる。16歳で家督を継ぎ、蘭学を修業。ペリー来航時に、「海防意見書」を幕府に提出して、老中阿部正弘の目に留まり、念願の役入りを果たす。長崎海軍伝習所に入門時には長崎本蓮寺に居を構え、塾頭に。渡米から帰国後は、軍艦奉行に就任すると神戸に海軍操練所を開き、坂本龍馬ら諸藩の志士の指導にあたる。西郷隆盛を説得し、江戸城の無血開城に成功。新政府では、海軍大輔、参議兼海軍卿、元老院議官等を歴任。のち枢密顧問官となる。

太平洋を横断した咸臨丸:日米修好通商条約の批准書を交換するために渡海する遣米使節団の護衛艦として派遣された咸臨丸。勝海舟は船長として乗船した。乗船中、船酔いに苦しみ、船長室からなかなか出てこなかった海舟に対し、同行していた福沢諭吉は良い印象を持たなかった。技術アドバイザーとして乗船していたジョン・ブルックやアメリカ人乗員に助けられながら渡米した。

咸臨丸難航図 木村家蔵(横浜開港記念館保管)

◉参考文献
『勝海舟の真実 剣、誠、書』(2011年 草森紳一著 河出書房新社)
『出島の医学』(2012年 相川忠臣著 長崎文献社)

太平洋横断で
めちゃくちゃ
船酔い
しました…
「海の男」のつもり
だったのに…
めんぼくない…
勝海舟
知識、見識にすぐれ
近代海軍を強化したり
江戸城の無血開城を果たすなど
交渉術などにも、長けていたが
じつは、海には
からきし弱かった。
たすけて〜
無血開城
勝海舟
戦闘を行わず
話し合いで
城を明け渡した
西郷隆盛
あの時あいつ
船長なのに
仕事をまったく
しなかった
まったく
役立たず
だった!!
福沢諭吉
そんなわけで
勝とは
生涯、仲が
悪かった
らしい…

画:マルモトイヅミ

長崎でのくらし:長崎海軍伝習所では2期塾頭を務め、本蓮寺境内に住み、身辺を世話する女性をそばに置いて子どもも産ませた。梶(かじ)くまの墓は聖無動寺で今も大切に守られている。長崎市筑後町の本蓮寺には入り口に『勝海舟寓居跡』と記した石碑がある。

陣内松齢筆「長崎海軍伝習所之図」（鍋島報效会蔵）

長崎海軍伝習所之図　陣内松齢筆

昭和初期に海軍伝習所時代を想定して描かれた絵画。1855年、幕府は長崎奉行所西役所内（現在の長崎市江戸町）に海軍伝習所を創設。海舟は指揮官要員として処遇される。伝習の内容は海軍軍事技術の他、汽鑵、化学、医学、測量等にまで及んでいた。

本蓮寺入口にある石碑（藤川撮影）

金子 岩三

かねこ いわぞう
1907年—1986年

政治家

生月島（現・平戸市）生まれ、長崎県の水産業の発展に尽くした政治家。人心掌握に長け、持ち前の知的好奇心で事業に成功。政治家に転身し、衆議院選挙に連続9期当選して、国会で重鎮政治家の信頼を集め、長崎に「金子あり」といわれた。

「李ライン」と戦い漁民を守った気骨の政治家

略年表

1907年　生月村館浦で生まれる
1917年　10歳のとき金子家と養子縁組
1921年　生月尋常高等小学校から補修学校。家業（水産業）に従事
1942年　生月町議員に当選。43年造船所社長、相浦海兵団入団
1947年　長崎県議会議員当選。連続3期当選県議会議長に
1958年　知事選立候補、落選。衆議院議員選挙に初当選
1976年　生月大橋架橋促進期成会会長に。衆議院農林水産委員長
1979年　第二次大平内閣で郵政大臣に
1982年　衆議院議員9回目当選。中曽根内閣で農水大臣に
1983年　第2次中曽根内閣で通産大臣に。衆議院議員勇退
1986年　死去。享年79歳

生い立ち：長崎県生月村館浦の田中家で生まれ、10歳で金子家に養子。学業優秀な岩三は進学を希望したが、養父に反対され、家業の水産業に励む。福江と結婚（24歳）。披露宴は2日間にわたり、数百人を招き金子家の財力をはたいた。金子家は平戸にも小作人を雇う広大な農地を所有していた。生月の漁業界をリードする大きな網元であった。

平戸鉄工所が徴兵免除のカギ：戦時中ながら生月の漁業界は活発で、港の改修、組合の改組などで岩三の力が評価された。経営を任された平戸鉄工所では国の軍関係の仕事も引き受けたためか、岩三は兵役免除になり、戦地に行かずにすんだ。

李承晩ラインと「自衛船」派遣：戦後の東シナ海はイワシの豊漁に沸いたが、韓国大統領李承晩が、「李ライン」を引き、越境した漁船を拿捕した。14年間に326隻にのぼり、乗組員3900人が抑留され、8人が死亡した。損害は90億円といわれた。漁業を生業とする岩三は、

「李ライン」に苦しむ漁民のために自営船を出した

●参考文献
『金子岩三伝』（西日本新聞社　1987）
（掲載写真も同書より転載）

1982年中曽根内閣で農林水産大臣

国会議員1年目で「民間自衛船」を出して漁民を守った。新人議員ながら、妥協しない信念の政治家として、自民党内で評価が高まった。

政界への進出: 35歳で生月町会議員に。戦後、40歳で長崎県議会議員となり水産漁業振興に尽力。その後3回当選して県議会議長を務め、1958年には県知事に立候補するが落選。同年の衆議院選挙で初当選に以後9回連続当選し自由党の幹部となり、4回、大臣を経験した(科技庁長官、郵政、農水、通産)。

長崎県知事西岡竹次郎の信頼が厚かった

扁額「誠實」。金子岩三は書も達者だった

李ラインとは

1952年、韓国大統領李承晩は韓国と日本のあいだの日本海上に一方的に国境ラインを宣言した。このとき竹島が韓国側のラインの内側に入り、韓国領土とされた。ラインの南端には長崎県の漁船の操業海域があり、ライン宣言後14年間は、ライン越境の漁船が拿捕される被害がつづいた。1965年に日韓基本条約が結ばれて李承晩ラインは無効とされたが、竹島の領有権問題はたなあげにされたままになっている。

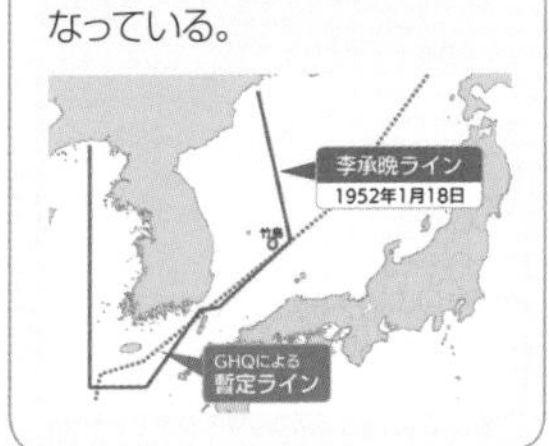

神近 市子

かみちか いちこ
1888年—1981年

作家、評論家、政治家

教員、新聞記者をしながら、女性解放運動に打ち込んだ。戦後は衆議院議員として政治の分野で活躍した。小説や評論を発表。無政府主義者大杉栄(さかえ)との恋愛のもつれから、刃傷事件を起こし2年服役。のちに雑誌『婦人文芸』を主宰した。

活水で学び、恋に、政治に情熱を燃やす

略年表

1888年　6月6日、長崎県北松浦郡佐々村生まれ
1904年　佐々高等小学校卒業、活水女学院入学
1910年　津田英学塾入学
1912年　「青鞜」に加盟
1914年　東京日日新聞入社
1916年　大杉栄を傷害(日蔭茶屋事件)
1917年　出獄後、大正日日新聞に連載小説
1920年　鈴木厚と結婚
1937年　離婚
1947年　民主婦人協会を設立
1953年　衆議院選挙に立候補、初当選
1969年　政界引退
1981年　8月1日、逝去

生い立ち:長崎県佐々(さざ)町生まれ。活水女学院に学び、津田英学塾へ進む。在学中に雑誌『青鞜(せいとう)』に参加。東京日日新聞では婦人記者として活躍。「日蔭茶屋(ひかげぢゃや)事件」を起こして世間を驚かせ、出獄後は文筆活動に入り、結婚。3児をもうけた。のちに離婚し、戦後は女性解放運動などに従事。社会党から衆議院議員に当選し、売春防止法の成立に貢献。81歳で引退するまで5期をつとめた。

『青鞜』:大正時代の女性団体の機関雑誌。編集長は平塚らいてう(らいちょう)、伊藤野枝(のえ)。創刊号の巻頭詩は与謝野(よさの)晶子(あきこ)。平塚の「元始、女性は実に太陽であった」に始まる創刊の辞は青鞜を象徴するものとなった。市子は私小説「手紙の一つ」を発表している。1911年から1916年まで52冊を発行した。

大杉栄

日蔭茶屋事件:市子は東京日日新聞の社会部記者として、無政府主義者の大杉栄と出会う。大杉には妻・保子のほか、愛人の伊藤野枝もおり、この四角関係は当時マスコミを賑わせた。悩み疲れた市子は、大杉と野枝を追って葉山へ向かい、大杉に傷を負わせ、懲役2年の刑を受けた。

◉参考文献
『神近市子自伝 わが愛わが闘い』(1972年/講談社)
『青鞜小説集』青鞜社編(講談社)
『長崎 活水の娘たちよ〜エリザベス・ラッセル女史の足跡』白浜祥子(2003年/彩流社)

画:木村瞳子

20年ぶりの長崎:28歳で事件を起こした市子にとって、長崎は帰り難い場所だった。久しぶりの帰郷をエッセイに記している。「私は廿一(にじゅういち)で長崎を去り、今四十をすぎてもう一度この土を踏んでゐた。長崎は私にとっては青春の日の土地であり、それ故それは無限の愛慕と憂愁とを含んだところであった」(「長崎再遊記」より)

ラッセル女史:1879年、43歳の時に来日して、長崎に女子のための学校、活水女学院を創設。初代校長として活躍。40年にわたり学院とその生徒の育成に献身した。ラッセルと初めて面会した市子は「神さまの教え守るよい生徒ありましょう!」と入学を許可された。

翻訳家としての顔

離婚した市子は、3人の子を抱えながら精力的に翻訳に励んだ。「戦線銃後世界大戦小説集」、「船と航海の歴史」などジャンルも幅広い。

20年ぶりに帰郷した当時の大正時代の長崎駅

現代の足跡

活水女学院(現・活水女子大学)

活水女学校での4年間は神近にとって大きな転機となった。外国人教師とマンツーマンの実践教育で英語力を身につけ、文学の才能を目覚めさせた。また、創設者で初代校長ラッセルからは婦人としての生き方と社会的弱者への憐れみの心を学んだ。

川原 慶賀

かわはら けいが

1786年？—1860年以降

町絵師、出島出入絵師

町絵師の家に生まれ、出島出入りの絵師となる。西洋的な写実と観察を取り入れながら日本人の生活や人生儀礼、動植物を描いた。シーボルトの『日本』に取り入れられた作品も多く、ペリーを始め、欧米各国の日本理解につながった。膨大な作品を残している。

（画:下妻みどり）

「シーボルトの眼」となった謎の多い写実画絵師

略年表

1786年?	長崎で生まれる
1815年ごろ?	出島出入絵師となる
1823年	シーボルト来日
1826年	江戸参府でシーボルトに同行
1828年	シーボルト事件で「叱り」
1842年	港の警備の様子を描き江戸・長崎払い
1846年ごろ?	長崎に戻り、田口姓に
1853年	ロシアのプチャーチン像を描く
1860年?	「永島キク刀自」像を描く
1860年以降	死去。80歳まで生きていたとの説もある

生い立ち:長崎の町絵師・川原香山の子として生まれ、唐絵目利（からえめきき）で長崎画壇の重鎮であった石崎融思（ゆうし）にも絵を学ぶ。別号に聴月楼主人。通称の登与助の名を洋風にアレンジした「Tojosky（トヨスキー）」のサインを入れた絵もある。

出島出入絵師:出島オランダ商館は、日本についての様々な資料を作成するため、絵師の派遣を要請。若さと才能にあふれる慶賀が、出島出入絵師となった。情緒的というより写実的な慶賀の画風は、まさに商館側が求める「画像資料」に合致しており、商館長や商館員の注文に応じて、日本人の生活や人生儀礼、動植物などの絵を多く描いた。

◉参考文献
『川原慶賀の「日本」画帳』（下妻みどり／弦書房）
『江戸時代人物画帳』（小林淳一／朝日新聞出版）

川原慶賀が描いた「蘭船入港図」（長崎歴史文化博物館蔵）

シーボルトのカメラ:出島という「西洋」に接することで、慶賀の観察眼や技術は開花。とりわけ「シーボルトのカメラ」となって描かれた動植物は、鱗一枚、葉脈一本に至るまでの正確さと、繊細な色彩で芸術作品の域に達した。江戸参府に同行して描いた各地の風景や人物は、シーボルトの『日本』に収録されている。

波乱万丈の人生:慶賀自身については、正確な生没年や墓所、膨大な作品制作のシステムなど不明な点が多い。1828年のシーボルト事件に連座し、1842年に港の警備の様子を描いたことにより、かろうじて『犯科帳』にその名が見える。晩年は田口と姓を変え、ふたたび町絵師として活躍。長崎の正月に飾られる先祖の肖像「お絵像さま」や、出島や唐人屋敷を回想した『唐蘭館絵巻』などを描いた。

川原慶賀が描いた天井絵のある観音寺(下妻撮影)

川原慶賀の天井絵(下妻撮影)

風景も
人物も
年中行事も
人生儀礼も
植物も
動物も…
ぜーんぶ
「慶賀」!

作品の数は
一万枚を超える
らしいのですが
こんなにたくさん
どうやって
描いたのでしょう…
分身の術が
使えた?

使えたらなあ…

某漫画家の先生
みたいにプロダクション制
だった?
先生!
目入れを
お願いします
うむ
アシ

実際は
何人もの
絵師が
「川原慶賀」の
名前で
作品を
描いていたと
考えられ
ています
そりゃ
そうじゃろ

画:マルモトイヅミ

北村 西望

きたむら せいぼう
1884年—1987年

彫刻家

（「青柳」提供）

南有馬村（現・南島原市）出身の彫刻家。長崎平和公園の「長崎平和祈念像」をはじめ、国会議事堂内に立つ板垣退助像、熊本城の加藤清正公像など著名な作品が多い。1907年に東京美術学校（現東京芸術大学）卒業以来、日本の彫刻界をリードし、1958年に文化勲章を受章する。

「長崎平和祈念像」を彫った彫刻界の巨匠

略年表

1884年　長崎県南有馬村の北村家4男として誕生
1902年　長崎師範学校に入学したが、風土病のため長期欠席して退学
1903年　京都市立美術工芸学校彫刻科に入学
1907年　東京美術学校彫刻科入学。1912年首席で同校卒業
1917年　千々石村から「橘中佐像」の制作依頼をうけ、21年に完成
1938年　板垣退助翁像を国会議事堂内に設置
1950年　平和祈念像の制作うける。1955年完成し8月8日除幕式
1958年　文化勲章・文化功労章受章
1972年　島原城に「西望記念館」完成。島原市名誉市民に
1979年　南島原市の生家跡が「西望公園」となり、記念館オープン
1987年　永眠。享年102

生い立ち:1884年南有馬村に生まれ、長崎師範学校にすすむが病気で中退。京都美術工芸学校に入学して首席で卒業。1907年、東京美術学校彫刻科に入学し、「文展」で毎年入賞して同校を首席で卒業して、彫刻界の評価を不動のものとした。戦前の作品は軍国主義を賛美するような武将や軍人の彫像を次々に発表。戦後は平和、自由、宗教にテーマを移し、「長崎平和記念像」、「平和観世音菩薩（かんぜおんぼさつ）像」などを制作した。その繊細な表現は、見る人の感動を呼ぶ。

平和祈念像:毎年8月9日、長崎原爆の日の式典会場でシンボリックに会場正面に立つ巨大な青銅の平和祈念像。1951年から4年をかけて制作され1955年8月8日に長崎平和公園に設置された。高さ10メートル弱。この制作をてがけた東京のアトリエ跡に制作過程が展示されている。武蔵野市井の頭

東京・井の頭公園内にアトリエがある（HPより）

◉参考文献
「西望記念館（島原市）」HP、「西望記念館『西望生誕之家』（南島原市）」公式HP、『日本美術年鑑』（東京文化財研究所 2018）ほか

画:ヤマモトシホ

公園内にある井の頭自然文化彫刻館である。寄贈された作品も野外に展示され庭園美術館に。

102歳のときの「神馬」(下妻撮影)

諏訪神社「神馬」:長崎市の諏訪神社には、拝殿登り口に西望作の「神馬」像が台座の上に建てられている。

料亭「青柳」に飾られたサイン入りの絵皿

長崎の料亭「青柳」:長崎丸山の料亭「青柳」は、西望の晩年長崎での定宿だった。一般客の宿泊はさせなかったが、西望は特別客として宿泊を許された。そのことが縁となり、90歳から102歳までの毎年の誕生日に白磁の皿にサインした絵皿を青柳に寄贈した。青柳の柳の間にはほかにも西望作品のヒナ型など多数が展示されている。

長崎県南島原市の生家跡は1972年に「西望公園」となり、代表作多数を鑑賞できる。世界遺産の原城跡を望める高台で、有明海や天草も遠望できる。

平和祈念像のヒナ型は「青柳」に展示中

北村 徳太郎

きたむら とくたろう
1886年—1968年

どんな人　政治家・銀行家

佐世保の親和銀行頭取から60歳で政界に転身。運輸大臣、大蔵大臣を務めた。日中国交改善や日ソ貿易の促進など、経済人として力を発揮した。生涯、キリスト教信者として人望を集め、1966年佐世保市名誉市民章を受章した。82歳のとき嬉野温泉で没す。

（共同通信）

佐世保の発展に尽くした信念の政治家

略年表

1886年　5月9日、京都市上京区で生まれる
1907年　大阪北浜銀行入社。傍ら関西大学に通う
1909年　卒業。キリスト教入信
1915年　北浜銀行破綻。鈴木商店系の播磨造船所入社
1919年　神戸製鋼に移り主事に
1921年　同社佐世保出張所所長
1923年　佐世保商業銀行常務に転身。頭取まで昇進
1937年　佐世保商業会議所会頭
1943年　親和銀行設立に参画、親和銀行頭取
1946年　第22回衆議院議員選挙で初当選。以後、当選7回（長崎2区）
1960年　総選挙に落選して政界引退（74歳）
1966年　佐世保名誉市民章を受章
1968年　82歳で逝去

◉参考文献
『一書の人北村徳太郎』（鈴木伝助　教文館　1970）
フリー百科事典「ウィキペディア」ほか

生い立ち:京都市の生家は浄土真宗で、病弱な子ども時代を過ごす。1907年21歳で大阪の北浜銀行に入行。業務の傍ら関西大学に通い、頭取の薫陶（くんとう）をうけ昇進。銀行破綻のあと播磨（はりま）造船に入り、経営に乗り出す。神戸製鋼所に転出し、同社の佐世保出張所勤務となり佐世保との絆が生まれる。

佐世保経済の発展に尽くす:1923年37歳で佐世保商業銀行（親和銀行の前身）の常務となり、後に頭取にまで昇進。1939年、佐世保商業会議所会頭にも就任して佐世保経済界のリーダーとなる。親和銀行設立に深くかかわり、1943年に頭取となる。1946年に衆議院議員選挙に日本進歩党公認で立候補して初当選。以後、長崎2区で7回の衆議院選挙に当選、1960年に引退するまで14年間国政で力を発揮する。

大臣2回:衆議院初当選の翌年、1947年、片山哲内閣で運輸大臣に就任、次年度の芦田均内閣では大蔵大臣を務めた。対共産圏との関係改善、交流促進に取り組み、日ソ東欧貿易協会会長に就任した。日中国交回復にも力を尽くし、1960年、選挙に落選して政界を引退した。

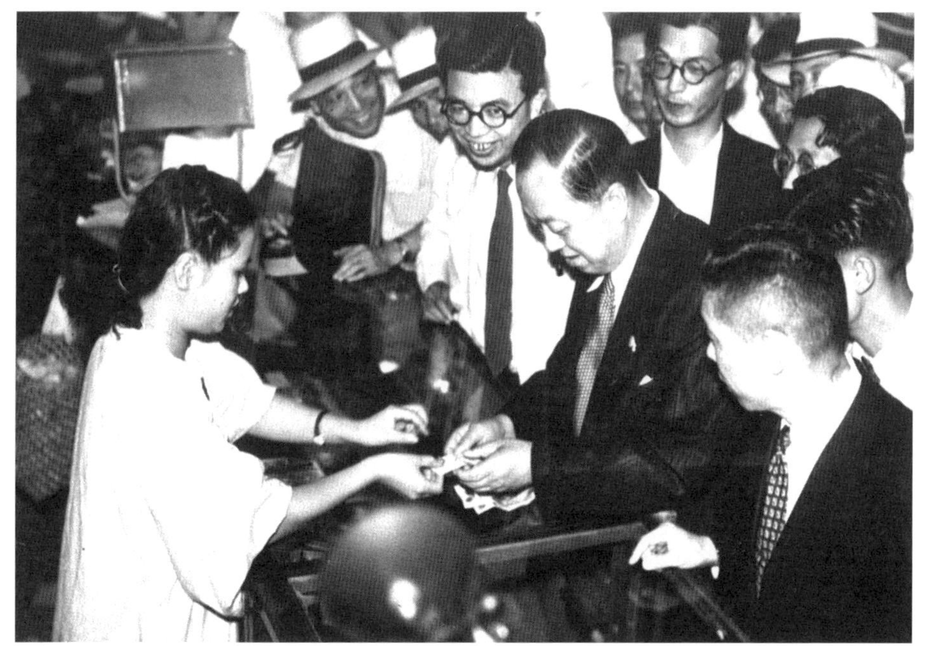

大蔵大臣就任直後、デパートに視察に出かけた北村徳太郎（右中央）（共同通信）

三島由紀夫を大蔵官僚に採用：平岡公威（きみたけ）（三島由紀夫）は東京大学卒業直後、大蔵省に入る。そのときの大蔵大臣が北村徳太郎だった。

トルストイ、シュバイツァーに傾倒：読書家だった北村徳太郎は、1967年、聖書をのぞく3000冊を佐世保市に寄贈した。その蔵書にはトルストイ、アルベルト・シュバイツァーに関する本が多くふくまれていた。若いころから読書を一番の楽しみとしていた教養の集積だった。

佐世保市の旧親和銀行に立てられた銅像

二粒のタネ：第2次世界大戦後の混乱期に、日本を立て直す政治家で「政治は道義なり」として信念を貫いた2人の政治家がいた。ひとりは芦田均、もう一人は北村徳太郎。「神は国会に二粒のタネを与えた」（中曽根康弘の評価）。

木下 逸雲

きのした いつうん

1800年―1866年

どんな人　南画家

木下逸雲(きのしたいつうん)は、鉄翁祖門(てつおうそもん)、三浦梧門(みうらごもん)とともに長崎三画人と称され、長崎南画興隆の基礎を築いた。ともに画を学び合い、交流の深かった画僧鉄翁祖門は生涯の友となる。大和絵や西洋画にも通じ、篆刻(てんこく)も巧みだった。

亀山焼の発展に尽くした「長崎三画人」

略年表

1800年　長崎八幡町に生まれる

1817年　1829年まで八幡町の乙名職を勤める。

1825年　文人墨客や諸藩の文士、来舶唐人らを集め、引田屋花月で長崎書画清譚会を開く

1829年　甥に家督を譲って医術の修業に励む

1865年　福済寺で中秋の名月(8月15日)の書画会が開かれる

1866年　江戸から船に乗船して帰る途中に玄界灘で遭難し、67歳で死去する

生い立ち:長崎八幡町に生まれる。18歳で木下家代々の乙名(おとな)(名主)の役を引き継ぐが、1829年にその役を兄の子に譲り、元来関心のあった医師になる。医業の傍ら画業に精進し、石崎融思(いしざきゆうし)に師事。後に、来日した清の画家、江稼圃(こうかほ)から南画を学んで多くの作品を残した。1866年、京阪・江戸に漫遊し横浜市から長崎行きの黒龍号に乗船するが、玄界灘で海難事故に遭い、死去する。

逸雲染付亀山焼煎茶椀:亀山焼は、1807年ごろから長崎村伊良林(いらばやし)郷垣根山(亀山)で、大神甚五平(おおがみじんごべえ)らによって焼かれ始めた陶磁器。製作期間も短く作品も少ないことから、幻の亀山焼ともいわれている。上質の白磁に中国から輸入された呉須による文人画風の絵付けが有名。逸雲は亀山焼の発展に尽くし、自ら絵付けも行っていた。

亀山焼に絵付けした木下逸雲の画

◉参考文献

『長崎南画三筆のひとり 木下逸雲～南画と印影を楽しむ～』(2012年 関啓治編 長崎新聞社)(写真すべて同書より)

『長崎・東西文化交渉士史の舞台 明・清時代の長崎支配の構図と文化の諸相』(2013年 若木太一編 勉誠出版)

木下逸雲を魅了した「南画」とは

中国の、職業画家(プロ)ではなく、教養があり指導的な立場にあった「文人」といわれる人々(アマチュア)が描いていた絵画が「文人画(南宗画)」。

※知的修練のひとつとして絵をたしなんでいた。

描かれるのは、理想の山水風景や隠遁生活、仙境世界。引用や自作の詩を添えて描かれたりもする。

それらから影響を受けて江戸時代中期~後期の日本で流行した、絵画のスタイルを「南画」と呼ぶ。

もちろん長崎はその大きな発信源であり、ここから多くの南画家を生み出した。

鉄翁祖門
木下逸雲
三浦梧門

長崎三画人

しずかな田舎で小さい家に住んで釣りとかしてのんびり暮らしたいなあ…

アコがれ

忙しい現代、今こそ南画の世界が、必要なのかもしれない…

画:マルモトイヅミ

蓬莱山之図 1846年作

武稜桃源図 1864年作

木下逸雲と小曽根乾堂:1865年、亀山社中が設立された年に福済寺(ふくさいじ)で中秋の名月の書画会が開かれた。親交のあった乾堂の名句「冷眼視世」で知られる寄せ書きには逸雲の秋景画も添えられている。

鉄翁祖門らとの寄せ書き

現代の足跡

長崎市八幡町にある木下逸雲宅跡。逸雲の墓は寺町の禅林寺内墓地にある。

木下逸雲宅跡

日下 義雄

くさか よしお
1852年―1923年

政治家・初代長崎県知事

生涯の恩人となる井上馨（いのうえかおる）に出会い、知遇を得る。36歳の若さで長崎県令（後に長崎初の県知事）に就任し、長崎の発展と住民の健康を守るため近代水道創設の計画に着手。上下水道整備に大きく貢献する。

会津出身の初代県知事は上下水道を整備した

略年表

1852年　会津藩の医師石田龍玄の長男として生まれる
1868年　箱館戦争に従軍し、1869年まで捕虜となる
1871年　岩倉欧米使節団に同行。アメリカに留学
1871年　ヨーロッパを視察。帰国後、内務省に勤務
1886年　長崎県令（7月19日より知事）に就任
1889年　長崎県知事を辞職
1892年　福島県知事に就任
1899年　渋沢栄一らの協力を得て岩越鉄道株式会社を設立
1902年　第7回衆議院議員総選挙福島県郡部区から立候補、衆議院議員に初当選
1912年　第11回衆議院議員総選挙福島県若松市区から立候補、衆議院議員に再当選
1923年　3月18日に71歳で死去する

◉参考文献
『長崎市水道九十年の歩み』（1982年監修 成瀬薫 丹羽漢吉執筆・編集 長崎市水道局発行）
『'91長崎水道創設100周年NAGASAKI WATER 100』（1991年 編集・企画 長崎市水道局 長崎水道創設100周年記念事業実行委員会 長崎市水道局発行）

生い立ち:会津（あいづ）生まれ。18歳で鳥羽伏見（とばふしみ）の戦いに参戦、箱館（はこだて）戦争で捕虜となり、赦免後は会津出身を隠すため、本名の石田五助（いしだごすけ）から日下義雄（くさかよしお）と改名する。井上馨の推薦でアメリカに留学、経済学を学ぶ。内務省勤務を経て、長崎県令、福島県知事、衆議院議員などを歴任する。

本河内高部ダムと本河内低部ダム:1891年に完成した本河内高部ダム。長崎の近代水道は、横浜、函館に次いで日本で三番目に創設された。日本最初の水道専用のダムを持った貯水池式となっており、今も市中心部の水がめとして活躍している。中島川上流中川郷に吉野桜数千本を移植したことも日下の功績のひとつだ。日下は県令として就任したとき、現在の市長にあたる長崎区長を金井俊行が務めていた。金井も近代水道の必要性を強く意識しており、日下の水道事業推進を後押しした。

本河内低部ダム（1903年完成）

本河内高部ダム（1891年完成）

日下義雄の関連展示:水道事業における日下義雄の貢献を称え、関連資料が長崎水道資料室に展示されている。コレラの流行や水不足を改善するため水道創設に日夜努力するも、藩閥政治による対立に巻き込まれ、完成を待たずにして長崎を去る。かつて同藩だった北原雅長（きたはらまさなが）が初代長崎市長となって、日下義雄から引き継いだ水道事業を完成させた。

長崎市水道資料室にある日下の胸像

明治時代の長崎居留地

関連人脈

金井 俊行

（かないとしゆき）
1850年～1897年

長崎西山に誕生。8歳で儒学者長川鉄壁の門下に入り、1865年16歳で長崎代官所の書記役になる。その後、佐賀県大書記官などを経て、1886年に第4代長崎区長（現在の市長）に任命される。当時、コレラが猛威をふるって市民生活を混乱させていたので、上下水道の整備の必要性を感じ、県知事の日下義雄と推進する。反対派が多い中で、1889年区議会で水道敷設案が可決される。長崎区長退任後は、島原や韓国釜山などの行政にかかわるが、47歳で亡くなるまで郷土史研究に打ち込んだ。

草野 丈吉

くさの じょうきち

1840年―1886年

西洋料理人

日本で最初の西洋料理専門店「良林亭(りょうりんてい)」の創始者。長崎で活躍した幕末の志士らがこぞって利用した。開港したばかりの大阪の居留地に「自由亭ホテル」を開業、本格的な西洋料理で外国人をもてなした。その後、京都や神戸にも進出して西洋料理の普及に貢献した。

日本で初の西洋料理店「良林亭」を開いた

略年表

1840年　長崎村伊良林に生まれる
1853年　麹屋町の米屋で丁稚奉公
1858年　出島のオランダ人に下働きとして雇われる
1860年　オランダ総領事のコック見習いと洗濯の仕事をする
1863年　五代友厚の勧めで西洋料理店「良林亭」開業
1865年　佐野常民の助言で屋号を「自由亭」に改称
1868年　五代友厚の命により大阪の外国人止宿所司長となる
1869年　大阪の梅本町に自由亭ホテルを開業
1877年　京都に自由亭の支店を開業。明治天皇が出席された午餐会の料理を担当
1878年　長崎市馬町に自由亭の支店を開業。
1885年　神戸栄町に自由亭の支店を開業
1886年　4月12日、47歳で死去

農家の次男坊が西洋料理のコックに:丈吉は1840年、農家の次男坊として長崎市伊良林に生まれた。家業の手伝いや商家で丁稚奉公行をして働いていたが18歳の時、出島のオランダ人の元で下働きをすることになった。約5年、オランダ人に仕えて西洋式洗濯や料理を習得。24歳で独立してクリーニング店を始めたが客が少なくうまくいかなかった。そんな時、薩摩藩士の五代友厚から西洋料理の注文を受ける。その後、五代の勧めもあって丈吉は西洋料理店の開業を決意した。

自由亭の快進撃:1863年、伊良林の自宅に日本で最初の西洋料理専門店「良林亭」を開業。翌年、若宮稲荷の参道沿に移転し「自遊亭」に、さらに翌年「自由亭」と改称した。1868年には五代から抜擢され大阪に進出。丈吉は外国人が泊まるホテルの責任者となり梅本町に「自由亭ホテル」を開業。京都、神戸にも支店を出し事業を広げていった。しかし、1886年、風邪をこじらせ47歳の若さで病死。翌日の大阪の新聞では「大阪の洋食店開祖、自由亭主人没す」と報じられた。

◉参考文献
『本邦初の洋食屋　自由亭と草野丈吉』
永松実著(西日本新聞社)／2016

自由亭の名付け親は佐野常民：最初の屋号は伊良林という地名からとった「良林亭」だったが、移転したときに「自遊亭」と改める。これを、客として訪れた佐野常民の助言で「自由亭」に改めた。佐野は佐賀の七賢人の一人で明治政府では大蔵卿や元老院議長などを歴任、日本赤十字社を創設した人物。「自由」という言葉は、常民が翻訳した言葉という説もある。
自由亭で食したあんな人こんな人：1877年に京都-神戸間の鉄道が開通した際、明治天皇は記念式典の後の午饗会で自由亭の西洋料理を食された。元アメリカ大統領のグラント、ロシア皇太子アレクシス親王やドイツ・イタリアの皇族など日本を訪れた外国の要人たちも食している。幕末の志士に至っては五代友厚、木戸孝允、山縣有朋、伊藤博文、岩崎弥太郎、後藤象二郎、陸奥宗光など枚挙にいとまがない。

クリーニング店
丈吉
はあっ
客さん来んねエ…
すまんがこのシャツを
五代友厚
グ
キュルル…
昼は抜きでな…
あ、おいのつくった西洋料理でよければ
さっ
うまいっ
本格的じゃないか
おかわりある？
いっそ西洋料理店をやってみたら
ええーっ
丈吉の料理は評判を呼びついに日本で最初の西洋料理店「良林亭」オープンへ

画:橋口美子

現代の足跡

1878年、丈吉が馬町に開業した自由亭の建物がグラバー園の中に移築され現存している。2階の喫茶室でカステラなどを食することができる。

久保 勘一

くぼ かんいち
1910年—1993年

政治家、長崎県知事

（デイツ提供）

「クボカン」の愛称で親しまれた政治家。4選を目指す前知事を44万票対21万票の大差で破り当選。その後、3期12年に多大な功績を残す。大村市に海上空港を開港させ、原子力船「むつ」受け入れの条件に長崎新幹線を政府に約束させるなど、政治手腕を発揮し、人望高い知事だった。

長崎空港開港など人望厚い県知事の業績多数

略年表

1910年　五島三井楽町（現五島市）で生まれる。長崎県師範卒。小学校教員を務めた後、大連に渡りゴム工場を経営

1947年　大連から五島に引揚げ、三井楽町農協長に就く

1950年　長崎県議に初当選、4期務める

1962年　参議院議員に初当選、文教委員長などを務め2期目途中で知事選出馬

1970年　長崎県知事に初当選、3期目に病に倒れたが任期をまっとう

1975年　大村市箕島で反対農民を説得し、海上に長崎空港を開港させる

1978年　原子力船「むつ」を佐世保港に受け入れ、「むつ念書」かわす

1982年　引退。娘中尾郁子が五島市長に当選するのを見届ける

1993年　11月23日、急性心不全で逝去。83歳

生い立ち:五島列島の三井楽町（みいらく）（現五島市）で生まれ、教師を志して師範学校を卒業し、地元小学校の教壇に立つ。満州で企業経営を経験したあと終戦で引揚げ、三井楽町農協長となる。長崎県議会議員を4期務めて参議院議員に当選。2期目の途中で辞職して長崎県知事に出馬して当選する。

自治体初の訪中団:まだ国交のなかった中国に親善訪問のために客船「耀火号（ようか）」をチャーターして、自治体初の中国訪問を実現させた。2022年には長崎中国総領事の張大興が国交正常化50周年の功労者として久保勘一の

青年友好の船は中国で大歓迎をうけた（デイツ提供）

◉参考文献
『長崎県青年の船』（1977年　非売品）
◉資料提供:田浦直

墓に参り、「久保元知事は日中国交正常化を呼び掛けた偉大な功労者」とたたえた。

海上空港の開設に見せた交渉力：大村市箕島（みしま）に計画されたものの、難航していた海上空港。建設に反対する農家を久保知事が説得して、農地の提供など手厚い移住ケアをおこない、1975年の開港に成功した。その後、長崎―上海の定期便飛行が実現して、日中国交回復の成果としても評価を高めた。大村市の森園町には海上空港を望む場所に胸像が建てられている。

「むつ念書」：放射線漏れを起こして漂流していた原子力船「むつ」の修理のために、佐世保港に寄港することを久保知事が認めた。被爆県としての反対の声がたかかったが、久保は自民党3役（当時）と「むつ念書」を交わし、「長崎新幹線の早期実現」を約束させた（秘密文書とされる）。「核封印方式」「むつ基金」「長崎新幹線」など、久保の政治手腕を物語るニュースが多く伝えられた。

五島市多目的研修施設に立つ立像

長崎港近くの公園に立つ胸像

「耀火号」から訪中団の先頭で降りたつ久保勘一（デイツ提供）

倉田 次郎右衛門

くらた じろうえもん

生年不詳？—1686年

長崎の水道設備を自費で創設

長崎の町に水樋（すいひ）を布設することを計画し、費用を工面するために宅地や船などの私財を投げ打って七年間奔走。長崎で最初の水道「倉田水樋」を完成させて、人々の暮らしを支えた。

遺構跡（藤川撮影）

「倉田水樋」で水を届け市民の暮らしを支えた

略年表

1653年　水源を調査。銭屋川の伏流水に目を付け、八幡町地上に水を引き揚げる

1653年　長崎で最初の水車「倉田車」を作る

1663年　3月8日、長崎の町が「寛文の大火」に見舞われる

1667年　倉田次郎右衛門、倉田水樋の布設工事に着手

1671年　本五島町の乙名役を命じられる

1673年　長崎で最初の水道、倉田水樋が完成

1674年　奉行所水樋支配役を命じられる。以後、世襲で倉田家が水樋管理を担当

1686年　9月27日、死去する

1891年　長崎の近代水道が創設され、倉田水樋は廃止に

◉参考文献

『長崎市水道九十年の歩み』（1982年 監修 成瀬薫 丹羽漢吉執筆・編集 長崎市水道局発行）、

『'91長崎水道創設100周年NAGASAKI WATER 100』（1991年 編集・企画 長崎市水道局 長崎水道創設100周年記念事業実行委員会 長崎市水道局発行）

生い立ち:本五島町で廻船問屋を営んでいた倉田次郎右衛門。かねてから水利の悪い長崎の町に水を届ける方法を考えていた。未曾有の大災害「寛文の大火」が起こり、「消火用の水を確保できれば被害拡大を防げたはずだ」と水樋の敷設に立ち上がる。私財を投じ、長崎奉行所に資金援助を仰ぎ、7年の歳月をかけて完成した。倉田水樋は、長崎の近代水道が創設されるまでの218年もの間、町の人々の生活を豊かにした。

最初の水道「倉田水道」:一町民の発意により自費で完成させた水道は全国でも稀で、倉田水樋の恩恵に浴する町の人々はその徳を称えたと水道資料室で伝えている。展示資料によると、次郎右衛門が事業を完成させたのが、1679年。1680年には水樋掛（すいひがかり）に任命され、以後、倉田家が世襲で水樋管理をおこなった。1891年本河内水道ができ、218年間の役目を近代水道に譲って廃止された。

水道資料室に展示された古い水樋

材料や構造など:次郎右衛門が設計した管渠（かんきょ）の材料や構造は様々であった。石造の溝渠（こうきょ）・木製の樋管・陶管・竹管などで、木樋は厚板による四角な箱型断面の

当時の水道のしくみ
鶴瓶を使って汲みあげる
鶴瓶
つるべ
竿や縄などの先に付けて水をくむための桶
溜枡
ためます
(貯水槽)
(水道管)
上水井戸
次郎右衛門はさまざまな材料や構造の管渠を設計した。
丸型の木製
陶製
木樋
もくひ
次郎右衛門さんのおかげで飲み水の心配もせんでよかし もし町が火事になっても安心ばい
さかさまの桶を重ねてうめた底に地中を流れてくる水をためる
竹樋
たけひ
継手
つぎて
画:マルモトイヅミ

ものや、丸材の上面を切り落として、内部をくり抜き、再び上面材をふたにかぶせたものなど工夫を凝らしている。材料はスギ・ヒノキなど。ふたをかぶせた上から要所に天川土を詰め、スギ皮・ヒノキ皮で包み、折釘を打ち、針金でしばるなど手が込んでいた。

倉田水樋水源跡:長崎市伊良林1丁目新大工町電停から中島川に出るとすぐ右手に銭屋橋が見える。この橋を渡ると、30メートルほど川下に倉田水樋跡の石碑が建っている。

長崎水道資料室:倉田水樋をはじめ、江戸時代から現在までの長崎水道の歴史資料を展示。長崎市水道資料室は長崎市田中町608番地7の東長崎浄水場内にある。観覧無料だが予約が必要。

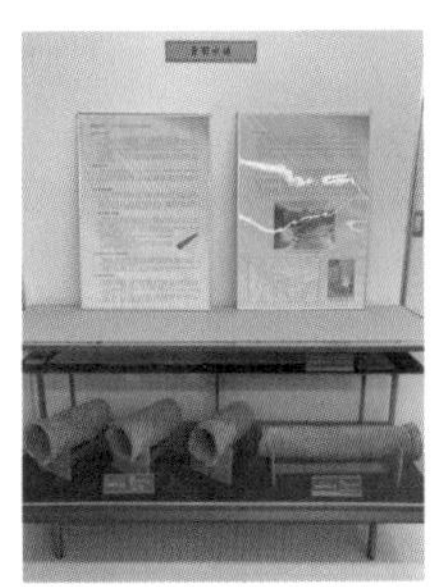
水道資料展示の様子

倉田家のルーツ

倉田家の先祖は宇多天皇第八の皇子一品部卿敦實親王になり、近江でもっとも有力な勢力を持った佐々木氏の一統家系にもはいる佐々木三郎盛綱の六男・倉田六郎が倉田氏の開祖とされている。佐々木三郎盛綱はかつて源頼朝に仕え、『平家物語』にも描かれている藤戸の戦いで平家軍と戦った。頼朝没後は出家して西念と称している。初代倉田次郎右衛門は江州守山に生まれ、家族を連れて長崎に転住。本五島町で外国交易に従事し、乙名役及び「長崎奉行附年行司」を命じられた。

栗原 玉葉

くりはら ぎょくよう

1883年—1922年

日本画家

大正時代、文部省美術展覧会などを中心に活躍した長崎出身の女性画家。子どもや女性を多く描き、晩年には文芸性豊かな作品など多くの作画を残す。女性画家の仲間らとともに日本画家団体・月耀(げつよう)会を結成する。「西の上村(うえむら)松園(しょうえん)、東の栗原玉葉」と称された。

子ども、美人画を得意とした女流画家

略年表

1883年　長崎県南高来郡山田村に生まれる
1901年　梅香崎女学校に入学。長崎美術展覧会に「桜」を出品
1907年　私立女子美術学校高等科へ入学。小林夜学校で教鞭をとる
1909年　私立女子美術学校高等科を卒業後、母を迎え同居する
1913年　「さすらひ」で第7回文展において初入選を飾る
1915年　母クマが亡くなる。母校である女子美術学校で教壇に立つ
1917年　「身のさち 心のさち」が第11回文展において入選する
1918年　「朝妻桜」が第12回文展において入選する
1920年　日本画の研究団体・月耀会の発足を発表
1920年　長崎の県立図書館で栗原玉葉女史近作画展覧会が開かれる
1922年　春頃から体調を崩す。9月急性肺炎を発症し39歳で死去する

生い立ち:長崎県南高来郡山田村(現・雲仙市吾妻町)に誕生。1901年に入学した梅香崎女学校在学中、長崎美術展覧会に出品した作品「桜」が、女学校の図画担任だった大久保玉珉(おおくぼぎょくみん)や林源吉らの目に留まり、画の道へ進むよう奨励される。単身上京して女子美術学校に進学。恩師となる寺崎廣業(てらさきこうぎょう)のもとで研鑽(けんさん)をつみ、権威ある展覧会への入選を繰り返し、「画成金」と揶揄(やゆ)されるほど頂点を極めた。

母との深い絆:五人の男兄弟に囲まれて育った玉葉にとって母は心の許すことが出来る特別な存在。私立女子美術学校高等科を卒業後、長崎より母を迎え同居するも、六年もたたずに母クマは他界してしまう。玉葉の兄、貞男の養子縁組先である深瀉家を中心とした集合写真。玉葉は下段の右から二番目に座っている。

家族写真。玉葉は前列右から2人目

長崎題材の名画:長崎街道の古賀宿にあった人形作りの小川家とは、玉葉は交流があった。

◉参考文献
『栗原玉葉』(2018年 五味俊晶編 長崎文献社)

画:木村瞳子

「古賀街道図屏風」という作品は、小川家の庭に休む旅の女性を見つめる母子の姿が描かれている。背景の古賀人形はいまも長崎土産の人気作品となっている。修道女をテーマにした作品も、神戸の修道会に納めれた「童貞」は長崎のカトリックの題材に見える。

古賀人形の里を描いた「古賀街道図屏風」

月耀会の仲間たち:「女性のかがやき」という意味を込めて、日本画の研究団体・月耀会を結成。百人以上とも言われる弟子を抱え、女性画壇において大きな役割を果たしていた。月輝会結成からわずか2年後に、39歳の若さで惜しまれながら死去する。写真は、林源吉宛てに送られた玉葉の死亡通知書。

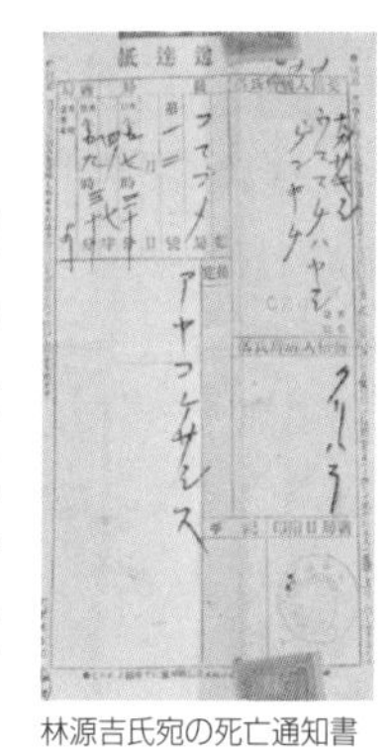

送達紙

アヤフケサシス

クリハラ

林源吉氏宛の死亡通知書

リンガー家と玉葉

現在グラバー園内にあるリンガー住宅に住んでいた英国人貿易商フレデリック・リンガーの孫娘アルシディー・リンガーの少女時代を描いた2点の「童女画」が、グラバー園に所蔵されている。玉葉の作風に似る。

アルシディー・リンガー〈童女図〉

グラバー

トーマス・ブレイク・グラバー

1838年—1911年

貿易商・実業家

安政の5カ国条約で長崎が開港されると同時に来日したイギリス人貿易商。長崎居留地にグラバー商会を設立して、西南雄藩の志士たちと親しく交流。武器、艦船の売買や留学のあっせんなどを通して、倒幕と近代化に深く関わる。

（長崎大学附属図書館蔵）

倒幕と近代化を支えた偉大な西洋人サムライ

略年表

1838年　スコットランドで生まれる

1859年　前年の安政5カ国条約で開港された長崎へ

1862年　グラバー商会設立

1863年　南山手3番地に「一本松邸」（現在の旧グラバー住宅）竣工

1865年　大浦海岸通りで小型蒸気機関車を試走

1869年　小菅修船場と高島炭坑が操業開始

1870年　グラバー商会倒産

1881年　高島炭坑を三菱が買収。三菱の顧問に着任。駐長崎ポルトガル領事に任命

1885年　ジャパン・ブルワリ・カンパニー誕生

1908年　日本政府より勲二等旭日重光章を受章

1911年　東京にて死去。葬儀は東京と長崎で行われた

◉参考文献

『長崎偉人伝　T・B・グラバー』（ブライアン・バークガフニ著・2020年・長崎文献社）

生い立ち：スコットランドのフレイザーバラで誕生。12歳のときスコットランド最大の漁業と造船の町アバディーンに移り住む。当時のスコットランド人が世界各地に飛び立ったように、18歳で故郷を巣立った。上海から長崎にやって来たときは21歳だった。

西南雄藩の志士たちと交流：日本語を話し日本文化を理解しようと努めたグラバーは、長崎に滞在した西南雄藩の志士たちと交流した。諸藩との直接ビジネスは禁じられていたが、グラバーは規定を破り、武器艦船、工業機械の取引をした。長州や薩摩の藩士を海外留学に派遣する手助けも行った。薩摩と長州を結び付けた艦船ユニオン号を手配したのもグラバーである。

実業家として日本の近代化を推進：明治元年前後、グラバーは実業家へと転身を図り、長崎の小菅（こすげ）修船場、佐賀藩の高島炭坑など、西洋の近代的機器と専門技師の手配を請け負った。これらは世界遺産「明治日本の産業革命遺産」の構成資産になっている。

スコティッシュ・サムライ：グラバーは、その功績を評して「スコティッシュ・サムライ」ともいわれた。明治になりグラバー商会は倒産、グラバーは三菱の顧問に就任する。明治建国の功労者として勲二等旭日重光章を受章。人々の

小菅修船場跡
明治元年12月に完成した
日本初の西洋式ドック。
スリップドックというタイプで
小屋の中の巨大な歯車を
蒸気で回して、その力で船を
陸上へ引っぱりあげていた。
当時、日本で
使われていた洋船は
中古が多かったため
故障ばかりしていた。
そこでわたしが
五代才助や小松帯刀と
ともに、小菅の入江に
船を修理する場所を造る
計画をたてたのだ。
トーマス・ブレーク・グラバー
船を載せる「船架」が
そろばんぽく見えたこと
から「ソロバンドック」と
呼ばれるようになった。

画:マルモトイヅミ

尊敬を集め栄光のうちに晩年を迎えた。

キリンビール誕生:1885年、横浜に外国人が設立したビール醸造会社「ジャパン・ブルワリ・カンパニー」(麒麟麦酒株式会社の前身)が発足。これは、グラバーが中心となり、倒産した醸造所を買収したもの。発足3年後に「キリンビール」が初めて市場に出された。グラバーの提案になる第2号ラベルは、「麒麟(キリン)」が大きく描かれ、現在のラベルの原型となる。

現代の足跡

長崎市南山手町の旧長崎居留地に広がる「グラバー園」は、建設当時と同じ場所に旧グラバー住宅が残り、世界遺産「明治日本の産業革命遺産」の構成資産にもなっている。長崎市坂本1丁目の「坂本国際墓地」には、グラバー夫婦と息子の富三郎夫婦が並んで眠っている。

関連人脈

五代 友厚(ごだい ともあつ)

1836年～1885年

薩摩藩の上級藩士の家に次男として生まれる。幼名は才助。1857年に長崎海軍伝習所に入り、勝海舟や榎本武揚らと共に航海術や操船術などを学ぶ。1862年に幕府の千歳丸で上海を視察。薩英戦争でイギリス海軍の捕虜となる。解放後は長崎に潜伏しつつ、薩摩藩の近代化を進める「上申書」を作成。グラバーの協力のもと五代らと14人の留学生の計19人をイギリスに派遣する。維新後は実業家に転じ、大阪の経済復興に大きな功績を残したことから「大阪の恩人」といわれている。

関連人脈

倉場 富三郎(くらば とみさぶろう)

1871年～1945年

長崎でトーマス・ブレイク・グラバーと日本人女性の間に生まれる。1892年にホーム・リンガー商会に入社。日本で初めて漁業に蒸気トロール船を導入し、長崎の水産業を飛躍させた。魚の研究に関心が深く、近海の魚や貝を正確に写生した『日本西部および南部魚類図譜』(通称「グラバー図譜」)は、日本四代魚譜とされている。国際交流にも力を入れ、日本人と外国人をつなぐ「長崎内外倶楽部」設立や、雲仙の観光開発に尽力した。

ケンペル

エンゲルベルト・ケンペル
1651年—1716年

どんな人　オランダ商館医・植物学者

ドイツ人医師・植物学者。オランダ商館付の医師として1690年に来日、約2年にわたり出島に滞在した。通詞今村源右衛門の協力を得て、日本の文化や歴史を研究、死後『日本誌』として出版される。ツュンベリー、シーボルトと並んで「出島三学者」と呼ばれた。

『鎖国』の原典を書いた出島オランダ商館医

略年表

1651年　ドイツのレムゴーに生まれる
1667年　ハーメルンのラテン語学校に入学
1681年　スウェーデンへ。ウプサラ、ストックホルムに滞在
1683年　モスクワでピョートル1世に謁見
1684年　オランダ東インド会社に就職
1690年　バタフィアを出発。日本に上陸する
1692年　長崎を発つ。2年後に故郷へ戻る
1698年　リッペ伯の侍医となる
1712年　『廻国奇観』を出版
1716年　故郷、レムゴーの町で死去する。死後、『日本誌』が英国で刊行され、オランダ語訳が日本に

生い立ち:ドイツ北部レムゴーに生まれ、16歳で故郷を離れる。医学やヨーロッパの言語、自然科学などさまざまな学問を学び、行く先々でスケッチや旅の記録を残す。『日本誌』では日本の地理、日本人の起源、天皇と将軍の歴史、長崎など広範囲におよび、江戸参府した折の様子なども細やかに綴っている。帰国後はレムゴーの町が乱れ、不幸な晩年を送る。

将軍の前で歌を唱ったケンペルの図

江戸参府を2度経験:出島のオランダ商館長には将軍に謁見する「江戸参府」が科せられていた。ケンペルは商館長に随行して2度江戸参府を経験している。

ケンペルとツュンベリーの記念碑:1823年に出島に赴任した商館医シーボルトは、前任者のケンペルとツュンベリーの偉業を顕彰するために記念碑を建てた。1775年から

シーボルトが造った記念碑

◉参考文献
『世界史の中の出島』(森岡美子著 長崎文献社 2001)、
『出島の医学』(相川忠臣著 長崎文献社 2012)、
『ケンペルとシーボルト』(松井洋子著 山川出版社)、
『長崎游学9 出島ヒストリア 鎖国の窓を開く』(長崎文献社編)、
『ドイツ人の見た元禄時代 ケンペル展』(ドイツ-日本研究所)

画:木村瞳子

出島に1年間滞在したツュンベリーは、ケンペルの『日本誌』を携えて来日したという。シーボルトはこの2人を尊敬した。

銀杏を初めてヨーロッパに紹介:1692年にオランダに帰国したケンペルはライデン大学で医学博士号を取得した。著書『日本誌』はケンペルの死後刊行されたが、このなかに銀杏を「Ginkyo」と紹介した。後に植物学者リンネが学名登録するときに「Ginkgo」とyをgに間違えており、現在も銀杏の表記になっている。オランダのライデン市にある植物園にはイチョウの大木が繁っている。ケンペルが植えたのかもしれない。しかし、確証はない。

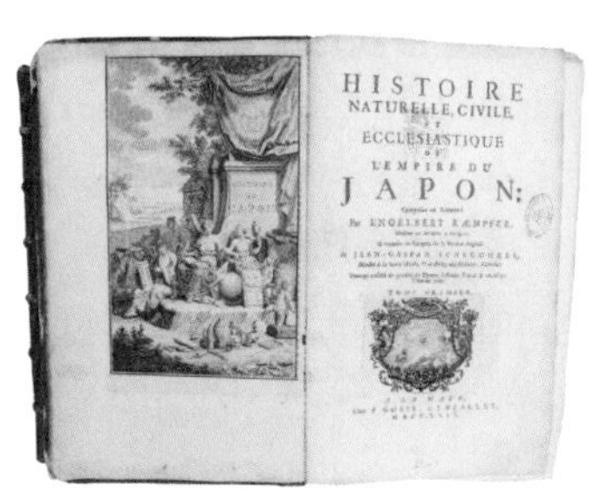

『日本誌』原本(長崎大学蔵)

『鎖国論』の原典

志筑忠雄が『鎖国論』として翻訳したのはケンペル『日本誌』の付録だった。江戸時代には「鎖国」という言葉はなく、志筑忠雄の訳書によって、明治以降にはじめて使われた。

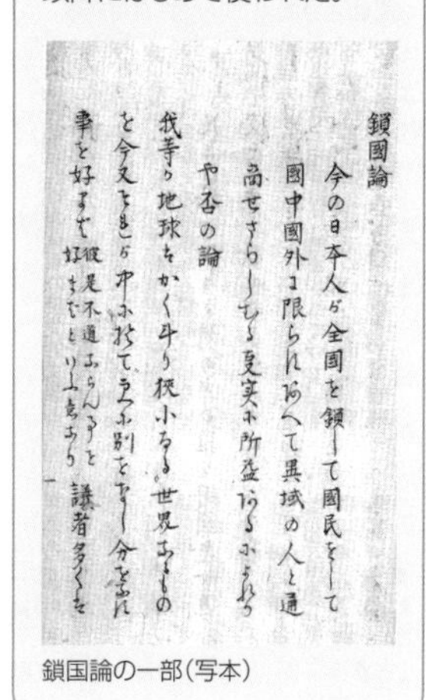
鎖國論
今の日本人が全國を鎖して國民をして
國中國外に限られあへて異域の人と通
商せざらしむる事實に所益あるによれり
や否の論
我等が地球をかく斗り狭小なる。世界なるもの
を今又これが中に於て又別に別をなし分をふれ
事を好むすで 彼是不通ならんことを 議者多くを

鎖国論の一部(写本)

古賀 十二郎

こが じゅうじろう
1879年—1954年

郷土史研究家

語学力を駆使して海外の文献を読み解き、長崎研究の新分野「長崎学」を確立した郷土史家。生涯を長崎研究に捧げ『丸山遊女と唐紅毛人』などの著作を残し「長崎学の祖」と呼ばれる。なかにし礼の直木賞受賞作『長崎ぶらぶら節』は古賀をモデルにして書かれた。

「長崎学」を確立した孤高の郷土史家

略年表

1879年　長崎市の本五島町に生まれる
1892年　長崎商業学校に入学
1897年　同校卒業
1898年　東京外国語学校に入学
1903年　広島中学の教師になる
1906年　父親死去。家業を継ぐために長崎に帰る
1912年　「長崎評論」を創刊、翌年「長崎史談会」を結成
1919年　『長崎市史』の編修委員に任命される
1920年　日蘭親善に尽くした功績でオランダ女王より勲章授与
1925年　『長崎市史　風俗編』が完成する
1931年　愛八が歌う「ぶらぶら節」「浜節」のレコードが発売
1954年　西山町上梅屋敷の仮寓で死去。享年76
1999年　なかにし礼『長崎ぶらぶら節』で直木賞を受賞

◉参考文献
『大日本商業史』(菅沼貞風著　東邦協会　1892、岩波書店　1943)
『古賀十二郎』(中島幹起著　長崎文献社　2007)

12代目に生まれて：1879年長崎市本五島町に生まれる。黒田藩の御用達を務めていた「万屋」の12代目であったことから十二郎と名付けられた。長崎市立商業学校在学中、菅沼貞風(すがぬまていふう)の『大日本商業史』に感銘を受け対外交渉史の研究を志す。東京外国語学校(現・東京外語大学)を卒業し広島で中学教師をしていたが、父親が亡くなり家業を継ぐため1906年長崎に帰ってきた。

長崎史研究の新分野を切り開く：当時の長崎の歴史研究は、日本の資料のみを元にしていた。十二郎は、ヨーロッパで出版された書籍を読み解き、外国から見た長崎という新分野を開拓し、「長崎学の祖」と呼ばれるようになる。長崎に来訪する文化人との接遇を引き受け、長崎の歴史遺産の情報発信に生涯を捧げた。

代表作『長崎市史　風俗編』：1912年、自らが責任編集者となって『長崎批評』という歴史研究書を発行。翌年には長崎史談会(第一期)を結成。活発に研究活動する十二郎のもとに長崎市から「長崎市史」編集委員の依頼が来る。後に編纂主任も任された。5年かけて完成した『長崎市史　風俗編』は、明治期を代表する批評家の内田魯庵(ろあん)に絶賛された。

長崎犯科帳を救う:十二郎は紙くず屋に積み上げられた「長崎犯科帳」を発見する。長崎県庁が保管していた長崎奉行所時代の資料を廃棄処分したものだった。

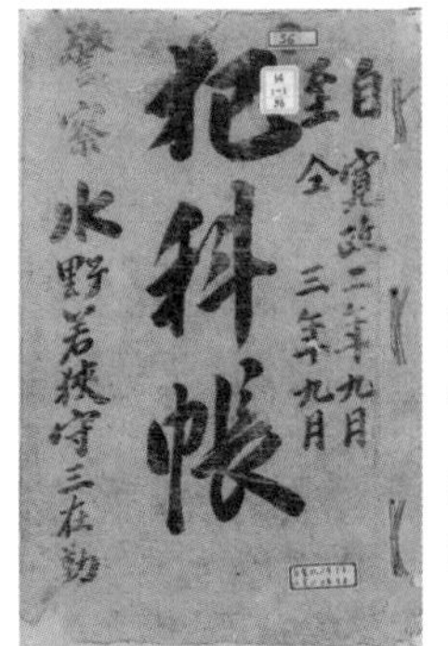

十二郎は長崎県立図書館館長の永山時英を通じて県庁に買い戻させ、図書館の書庫に保管させた。貴重な長崎史の記録が救われたのである。

映画にもなった十二郎:花町丸山の芸妓・愛八は、長崎民謡がないことを嘆き十二郎に相談する。十二郎は、嘉永年間に盛んに歌われた歌詞を掘り起こし、愛八がそれに節付けしたのが「ぶらぶら節」である。これらの史実を元に1999年、なかにし礼が小説『長崎ぶらぶら節』を発表、直木賞を受賞した。翌年に映画化され渡哲也が十二郎を、吉永小百合が愛八を演じた。

現代の足跡

長崎県立長崎図書館郷土資料センター（前 長崎県立図書館）の入り口付近に1970年に建てられた「古賀十二郎翁の碑」がある。「港あり　異国の船をここに招きて　自由なる町をひらきぬ　歴史と詩情のまち長崎　世界のナガサキ」という十二郎の言葉が刻まれている。

画:マルモトイヅミ

小曽根 乾堂

こそね けんどう

1828年—1885年

豪商・篆刻の名手

幕末から明治にかけての長崎の豪商、小曽根家の当主。勝海舟(かつかいしゅう)や坂本龍馬と親交が深く、「海援隊」を支える。篆刻(てんこく)、書画、音楽などに秀でる芸術家で、志士から文人まで幅広い人脈を築く。

海援隊を支えた豪商は月琴の名手でもあった

略年表

1828年　父六左衛門の長男として誕生
1857年　14代将軍、徳川家茂に謁見し、印刻を拝命する
1859年　現在の松ヶ枝、小曽根、浪の平一帯を自費で造営する
1866年　近藤長次郎が小曽根邸宅内で切腹。墓碑は晧台寺（寺町）小曽根家墓地内にある
1871年　政府から御璽・国璽の刻印を拝命される
1871年　東京の離宮で両陛下の御前演奏をする
1871年　貨幣制度の改制の儀を政府に建議する
1871年　日清修好条規締結の全権大使の随員として清国へ赴く
1878年　小曽根小学校（閉校となった長崎市立浪平小学校）を創設
1885年　58歳で病死する

生い立ち:小曽根家を復興した父、六左衛門(ろくざえもん)とともに現在の松ヶ枝、小曽根、浪の平海岸一帯を自費で整備。事業家として長崎の貿易の進展に大きく貢献した。後にこの一部は小曽根町と名付けられる。乾堂は小曽根町に邸宅を構え、弟で四男の英四郎がこの地に留まり、「海援隊」の拠点となって財政面で支えたという。篆刻や書画を得意とし、書画は交流のあった南画家の鉄翁祖門(てつおうそもん)、木下逸雲(いつうん)らに教わる。

小曽根邸跡:本博多町（現・長崎地方法務局）に小曽根家の屋敷があり、勝海舟、坂本龍馬などの志士がよく出入りしていた。「海援隊」の近藤長次郎が亀山社中に無断でイギリスへ渡航しようとした疑いが発覚し、小曽根邸の一室で切腹したことでも知られる。長崎市の晧台寺(こうたいじ)の小曽根家墓地の一角には、長次郎の追悼墓碑が建っている。

小曽根邸の跡碑（藤川撮影）

◉参考文献
『小曽根乾堂 謎解きの旅—幕末明治を刻した長崎人』（2015年 小曽根育代著 長崎新聞社）、
『日本印人研究 小曽根乾堂の生涯とその系譜』（2006年 神野雄二 熊本大学教育学部紀要 人文学部）

亀山焼を
なんとか
再興したくて
息子に
託しました
長男・晨太郎は、この意思を受けて
乾堂の没後、自宅に窯を開き陶工を招いた。
小曽根焼または鼎山焼
と呼ばれた。
亀山焼は、幕末の頃に
作られていた陶器で、
格調高い白磁染付で知られる。
50年ほどで廃窯となったのだが、その
空いていた関連の建物を紹介したのが、乾堂。
そこに紹介され入ったのが、坂本龍馬である。
龍馬はそこで「亀山社中」という
日本初のカンパニーを作った。
亀山焼
小曽根乾堂

画:マルモトイヅミ

月琴を弾くお龍の像:
司馬遼太郎の歴史小説『竜馬がゆく』の中で、坂本龍馬の妻・お龍が月琴(中国発祥の伝統楽器)をつま弾く描写があるが、お龍に月琴を教えたのは乾堂の娘、菊だといわれている。乾堂も月琴を好み、明清楽を学んだ。

お龍の像(長崎市万才町)

小曽根乾堂とコレラ:
1858年、ペリーが来航した際に連れてきた4隻のうちの一隻ミシシッピ号が長崎に寄港。そのとき、船員がコレラを長崎に持ち込んだ。1885年には長崎市内だけでも八百人が罹患し、六百人が亡くなっている。市中は道ゆく人も少なく、死の街と化した。このとき、自宅を開放して罹患者を収容、介護にあたったのが乾堂である。自身も病魔に襲われて死去したと伝えられている。

大日本国璽・天皇御璽

師である大城石農から篆刻を教わる。1871年には明治政府の勅命により御璽・国璽を拝刻した。

小山 秀之進

こやま ひでのしん

1828年―1898年

天草出身の建築家

幕末に長崎の外国人居留地に深く関わった西洋建築の先駆者。小山秀之進が施工した西洋建築で現存しているものは大浦天主堂、グラバー邸、オルト邸、リンガー邸など。そのすべてが国宝または重要文化財に指定されている。グラバーと炭坑開発にかかわり没落した。

大浦天主堂・グラバー邸を建てた天草の大工

略年表

1828年　天草郡に生まれる
1859年　北野織部が長崎居留地造成工事を請け負い、翌年完成
1863年　グラバー邸、大浦天主堂を建築
1864年　大浦天主堂が竣工
1865年　オルト邸を建築。公共事業「長崎運上所」の建築事業
1868年　リンガー邸を建築
1868年　グラバーと高島炭鉱開発に乗り出す。端島炭鉱開発に失敗
1883年　長崎市賑町の坂上天満宮建築。三角港の築港に携わる
1897年　建築現場で倒れ、翌年死去する

生い立ち：漁業や海運業で栄えた天草を代表する豪商、小山家の五代目当主の八男として生まれる。秀之進の兄の正秦は、赤崎村庄屋北野家の養子となり、北野織部(おりべ)として長崎居留地造成を成し遂げた。小山商会の代表だった小山秀之進、ほかの兄弟も長崎での建設業務に加わり、洋風の建築技術も確立していなかった時代に居留地周辺での西洋建築を請け負っていく。

近代化への道を切り開いた天草の兄弟：1859年、長崎居留地造成を始めるにあたり、大浦を埋め立てる難工事を請け負う者がいない状況だった。そこで、天草からたくさんの作業員を引き連れて渡海した北野織部、小山秀之進が高い技術を持って造成工事に協力することとなる。1874年頃の大浦川沿いの居留地の写真には大浦川河口に架かる弁天橋と松ヶ枝橋が確認できる。

西洋建築に使用された天草石：日本最古の木造洋風建築であるグラバー邸や、オルト邸、出島の石蔵建築など小山秀之進が手掛けた西洋建築には、石肌のキメが細かい天草の下浦石が多用されている。秀之進はフランス人神父がもってきた「日本二十六聖人教会(大浦天主堂)」の設計図に西洋建築の技法を学び、これらの洋風建築の建物をつぎつぎに請け負う。

◉参考文献
『長崎居留置と大浦天主堂を造った天草の兄弟 小山秀之進と北野織部』(2019年 天草市観光文化部世界遺産推進室編集・発行 執筆担当 中山圭)、
『旅する長崎学9』(2008年 企画/長崎県 制作/長崎文献社)、
『長崎遊学2 長崎・天草の教会と巡礼地完全ガイド』(2005年 長崎文献社編)

画:西岡由香

天草の人々の力を借りて:1859年の9月に織部が提出した長崎居留地造成事業における工事仕様書の中で「石工・人夫・船頭は慣れている天草郡の者を召し連れ、材料である石垣の石も天草郡より積んで来たい」とし、延べ人夫数1500名超、目標を翌年3月と記している。天草87カ村のうち、53カ村が人夫を出したと記録が残っており、天草の人材と資材、確かな技術によって異国情緒豊かな長崎の町が形成されたことがよくわかる。

炭坑事業へのチャレンジ:秀之進はトーマス・グラバーからの信頼厚く、高島炭坑開発の共同出資に誘われる。契約のサインは秀之進と兄芳三郎の連名であり、社中としての請負だったようだ。グラバー商会の倒産や炭坑の明治政府接収による官営化などの困難に見舞われるも、めげずに炭坑事業を継続。1875年には端島の炭坑掘削に乗り出したが、海底の坑道に海水が浸入し坑道が崩壊する。台風被害も加わり復旧ができず事業を断念、倒産してしまう。1890年以降、三菱が採炭事業を成功させ、いわゆる「軍艦島」へと移行していく。

創建時と現在の大浦天主堂

小山秀之進が建てた当時の大浦天主堂

現在の大浦天主堂(長崎県観光連盟提供)

「夢」が叶う大学は、

「失敗」できるチャンスに溢れている

Who's Who Nagasaki 100

III

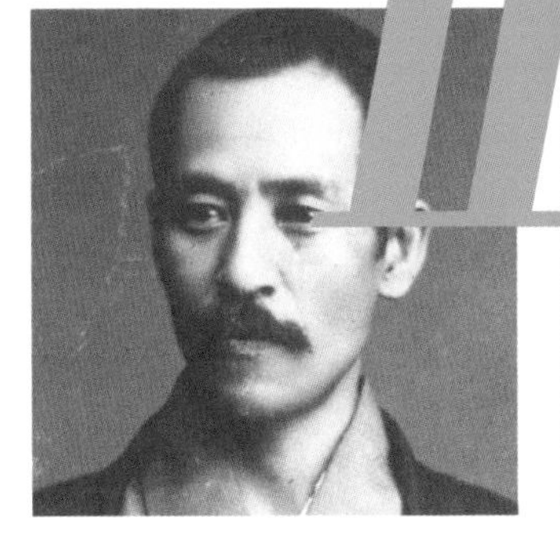

斎藤茂吉
坂本龍馬
佐多稲子
沢宣嘉
ザビエル
シーボルト
志筑忠雄
下村脩
沈南蘋
末次平蔵
鈴木天眼

斎藤 茂吉

さいとう もきち

1882年—1953年

歌人、精神科医

歌集『赤光』で一躍名声を得たのち、長崎医学専門学校（現・長崎大学医学部）教授として赴任。講義と診察に多忙を極めながらも、歌会を開催し、長崎の人々に短歌を指導した。日本を代表する歌人。

アララギ派歌人は長崎で精神科医を務める

略年表

1882年　山形県南村山郡に生まれる
1905年　斎藤紀一の婿養子として次女てる子と入籍。東京帝国大学医科大学入学
1910年　東京帝国大学医科大学卒業
1913年　第1歌集『赤光』を上梓
1917年　長崎医学専門学校教授として赴任
1921年　第2歌集『あらたま』を刊行。文部省在外研究員として欧米留学
1927年　青山脳病院院長に就任
1946年　第3歌集『つゆじも』刊行
1951年　文化勲章受章
1953年　2月25日、逝去

生い立ち:山形に生まれる。1905年に親戚の医師・斎藤紀一の養子となり、東大医科大学に入学。伊藤左千夫に師事し、第1歌集『赤光』を出版、アララギ派、万葉調の歌人として広く知られるようになる。1917年、長崎医学専門学校教授として赴任。欧米留学より帰国後は青山脳病院長に就任した。日本を代表する歌人であり、また論評や随筆でも旺盛な創作活動を行なった。

斎藤茂吉寓居跡:精神病学科教授として着任した茂吉は、旅館に仮住まいしたのち、金屋町から上町に移住した。1921年3月に東京へさるまで歌会を催した。

斎藤茂吉寓居の石碑

歌碑:長崎に降り立った翌朝に詠んだ歌「朝あけて船より鳴れる太笛のこだまはながし竝みよろふ山」は、教科書にも掲載された。第2歌集『あらたま』に収録。長崎市の興福寺にも茂吉の歌碑が建つ。「長崎の昼しづかなる唐寺や思ひいづれば白きさるすべりの花」

桜町公園歌碑

◉参考文献
『新潮日本文学アルバム　斎藤茂吉』（1985年／新潮社）
『長崎游学14 長崎文学散歩』中島恵美子編著（2019年／長崎文献社）

ピナテールとの面会：

「ピナテールと出島」田川憲（田川家蔵）

フランス人雑貨商ヴィクトール・ピナテールは、丸山の遊女に恋をし、その死後も慕い続け、孤独な生涯を送った。茂吉は病に臥すピナテールを訪れている。
「寝所には括枕（くくりまくら）のかたはらに朱の筥枕（はこまくら）置きつつあはれ」

第3歌集『つゆじも』：1946年発刊の第3歌集『つゆじも』には長崎の歌が多い。港町、唐寺、浦上のキリシタンなど、茂吉の足跡を辿りながら、大正時代の長崎を歌で知ることができる。
「長崎の午の大砲中町の天主堂の鐘ここの禅寺の鐘」
「鳴滝の激ちの音を聞きつつぞ西洋の学に日々目ざめけむ」
「斜なる畠の上にてはたらける浦上人等のその鍬ひかる」
「黄櫨もみぢこきくれなゐにならむとすクロス山より吹く夕風」

スペイン風邪に罹患：1918年から20年にかけて世界的に流行となったスペイン風邪は日本にも上陸し、長崎にいた茂吉も罹患した。肺炎を併発し、一時は生命も危ぶむ状況だった。「はやりかぜ一年おそれ過ぎ来しが吾は臥りて現ともなし」

1917（大正6）年12月
茂吉長崎に着く
さむっ
これで南国か
後に「あらたま」に
その時の想いを
「あはれあはれ
ここは肥前の長崎か
唐寺の甍（いらか）にふる
寒き雨」と詠んだ
翌朝
港の汽笛に感動
よしっ
みなぎって
きたぞオ
「朝あけて
船より鳴れる
太笛のこだまはながし
竝みよろふ山」と
新しい一歩を踏み出す
歌を詠む

画：橋口美子

坂本 龍馬

さかもと りょうま

1836年—1867年

どんな人　倒幕の立役者・海援隊長

藩のしがらみにとらわれない立場にあって、柔軟な発想と行動力で人を動かし「薩長同盟」「大政奉還」をコーディネートした立役者の一人。大政奉還という大きな一歩を見届けた1カ月後、明治の世を見ることなく暗殺される。長崎での人脈が彼を大きく成長させた。

海援隊を組織し維新の夢を実現させた風雲児

略年表

1836年　土佐藩の郷士、坂本長兵衛の次男として誕生
1853年　江戸へ赴き北辰一刀流の千葉定吉道場に入門
1861年　土佐勤王党に加盟
1862年　沢村惣之丞と共に脱藩。勝海舟の門下生となる
1863年　海舟の海軍塾の塾頭となる。幕府の神戸海軍操練所に参加
1864年　海舟に随行して長崎へ
1865年　薩摩藩の援助で長崎に亀山社中設立
1866年　薩長同盟成立
1867年　亀山社中「土佐海援隊」に。「いろは丸」事件。
「船中八策」起草。「イカルス号」事件
京都近江屋で襲撃され死亡

生い立ち:土佐藩郷士・坂本家の次男。下級藩士だが城下で3本の指に入る豪商才谷屋から分家した裕福な家だった。3歳年上の姉、乙女に宛てた手紙が残り、生身の龍馬を伝えている。若い頃は剣術修行に明け暮れ、27歳のとき攘夷思想に違和感を抱き、翌年脱藩。暗殺までの5年間で成し遂げた功績は、明治維新への流れを大きく加速させた。才谷梅太郎の変名も。

日本で初めての商社「亀山社中」設立:龍馬は神戸海軍操練所で共に学んだ仲間と、長崎で「亀山社中」を開設する。今で言う「商社」である。操船技術を活かして海運業や通商のあっせんを行う。開港都市の自由な気風に満ちた長崎は新しいビジネス拠点にぴったりだった。亀山社中は薩摩藩の保護下で運営されたが、その後土佐藩との関係が修復されると「土佐海援隊」と改称された。

犬猿の仲を結んだ「薩長同盟」:薩摩と長州は、禁門の変で激突した仇敵同士。両藩の和解は難しかったが、説得に成功したのが龍馬と中岡慎太郎だった。武器輸入を禁じられていた長州藩に薩摩藩が武器や艦船を購入し、薩摩藩には長州藩が兵糧米を送るという提案が実現した。ここで武器艦船を手配したのが亀山社中。両藩が手を組むことで、時代は倒幕へ大きく動いていく。

◉参考文献
『図説　坂本龍馬』(小椋克己・土居晴夫 監修、2005年、戎光祥出版)
『ナガサキインサイトガイド増訂版』(ナガサキベイデザインセンター、2019年増訂、イーズワークス)

坂本龍馬の1867年がとても大変
いろは丸事件
ドコーン
春、海援隊の「いろは丸」が紀州藩「明光丸」と衝突し瀬戸内海で沈没した事件。日本初の海難審判。
※国際ルール
万国公法に基づき、非は明光丸にある！
ハッタリ!!
龍馬はここで交渉術の才能を発揮した。
イカルス号事件
夏、英国船イカルス号の水夫2人が丸山で殺され海援隊が容疑者となる。
海援隊が殺したにちがいない捕えろ！
土佐の船が急に出港しました
近くで海援隊士を見ました
取り調べは2カ月に及びそのせいで大政奉還もすすまなかったという。
大政奉還
秋、将軍徳川慶喜が政権を朝廷に奉還。
暗殺
12月10日死亡。（旧暦11月15日）

画:マルモトイヅミ

「大政奉還」の実現に尽力: 土佐藩参政の後藤象二郎との会談で「大政奉還」の方針が一致した龍馬は、土佐藩船夕顔の船中で「船中八策」をまとめる。これをもとに土佐藩が「大政奉還建白書」として幕府に提出し、将軍慶喜は大政を朝廷に奉還することを発表した。

亀山社中の設立

現代の足跡

「長崎市亀山社中記念館」は、幕末の建物を忠実に再現している。館内には龍馬のブーツやピストルのレプリカ、書状の写しなどが展示されている。近くの風頭公園には、高さ4.7mの龍馬像が立ち、長崎の街を見下ろす。社中のメンバーが参詣していた若宮稲荷神社も近い。

佐多 稲子

さた いねこ
1904年—1998年

どんな人　小説家・プロレタリア作家

プロレタリア作家として活動を始める。『樹影』や『時に佇(た)つ』等、長崎が舞台の小説・随筆も多く、幼少期を過ごした懐かしい長崎を活写しながらも、戦後は原爆で破壊された故郷を最も痛みを伴う場所として描き、人と時代を見つめ続けた。

働く女性に寄り添う小説を執筆した作家

略年表

1904年　長崎市八百屋町に生まれる
1915年　一家で上京。向島・牛島小学校に転入後、通学をやめ、キャラメル工場へ通う
1921年　丸善書店洋品部に勤める
1926年　同人誌『驢馬』の同人(中野重治、堀辰雄等)と出会う
1928年　「キャラメル工場から」発表
1942年　中国各地、シンガポール、マレーなど南方を戦地慰問
1946年　「婦人民主クラブ」創設
1948年　「私の長崎地図」を『月刊長崎』に連載
1972年　『樹影』、野間文芸賞
1976年　『時に佇つ』、川端康成文学賞
1984年　朝日賞
1985年　長崎公園に樹影の文学碑建立
1998年　10月12日、逝去

生い立ち:長崎市八百屋町生まれ。11歳で上京。キャラメル工場、料理屋、日本橋丸善等で働く。カフェの女給時代、中野重治らと知り合い、1928年「キャラメル工場から」を書き、作家活動に入る。同時に左翼運動に深く関わる。終戦直後から戦争協力を批判されるが、当時の苦悶から多くのすぐれた作品を生み出す。1984年、現代文学への貢献に対し朝日賞を授与される。

長崎公園:「お諏訪さまの公園は、私たちのいちばん遊びにゆく場所だ。学校でこの山を玉園山とおそわって、その美しい名を好ましいと思った。」(『私の長崎地図』より)

月見茶屋:諏訪神社に隣接の長崎公園にある月見茶屋は明治18年の創業。店内には佐多の色紙が飾られている。「子供のときの　おもいで場」と書かれ1979年12月の日付がある。

月見茶屋には佐多の色紙が飾られている

樹影文学碑:1985年12月1日、佐多稲子出席のもと除幕式が行われた。小説『樹影』は、1970年8月から2年にわたり「群像」に連載され、1972年に出版された。佐多の戦後長崎における原爆への問いがテーマとなっている。

◉参考文献
『私の長崎地図』佐多稲子(講談社)
『長崎游学14 長崎文学散歩』中島恵美子編著(2019年／長崎文献社)
『長崎の美術7 池野清』(2021年／長崎県美術館)

樹影の文学碑。小説の冒頭の文が刻まれている（長崎公園）

「私は始め、その晴れがましさにうろたえた。だが、それはこの作に内容となった悲劇が再びあってはならぬという主旨を表すものとして見られるなら、そこには意味があろうかとおもって、自分の晴れがましさをも受けた。（中略）この樹影の碑は、私のためのものではなく、原爆の、人間にもたらした悲劇を指摘する碑なのである」（『樹影』あとがきより）

桃カステラ

来崎の度に求めた好物の桃カステラ。桃の実を模した縁起菓子、長崎では出産祝いや節句などの内祝いとして親しまれている。

（松翁軒提供）

現代の足跡

坂本屋は1894年創業で、佐多が常宿とした。古くから文化人に愛された料亭旅館でもある。

坂の上天満宮（現法務局）:氷あずき「これほど子どものあこがれる夏ののみものはない。けれども天満宮へはめったに氷あずきを食べに来ることはないので、いっそう私のあこがれにもなるのであった。」（『私の長崎地図』より）

この地は大音寺が寺町へ移転したのち、1733年に天満宮が開かれた場所。高台で眺望もよく、多くの人が訪れて賑わった。天満宮は1955年に坂の下の賑町へ移った。

関連人脈

池野 清

（いけの きよし）
1913年～1960年

長崎市出身の洋画家。戦後、原爆症と闘いながら、詩情豊かな作品を残した。『樹影』の中心的モデル。佐多と親交があり、『私の長崎地図』や『智恵の輪』の装幀も手がけている。

沢 宣嘉

さわ のぶよし
1836年—1873年

どんな人　政治家

幕末の政変で都落ち。4年間の潜伏ののち、王政復古により明治新政府の参与となり、反政府勢力鎮圧のための九州鎮撫総督(ちんぶそうとく)、長崎裁判所総督、外国事務総督として長崎に赴任。つづいて長崎府知事も務め長崎行政の責任者となる。その後、外交の任に就くが、38歳で没した。

明治新政府の総督として長崎に赴任、激変を統治

略年表

1836年　京都の公家・姉小路家に生まれる
1852年　沢為量の娘と結婚し、養嗣子となる
1858年　日米修好通商条約締結時に勅許に反対
1863年　「七卿落ち」により京都を離れる
1867年　王政復古により復権
1868年　九州鎮撫総督として長崎に赴任
　同年　長崎府知事となる
1869年　長崎を離れ外務卿となる
1873年　ロシア公使に任じられるが病没

生い立ち:京都の公家・権中納言(ごんちゅうなごん)姉小路公遂の3男として、1836年京都に生まれる。1852年、おなじく公家の沢(さわ)為量(ためかず)の娘と結婚し、沢家の後継者となる。春川、小春を号とする。

九州全体をにらんだ鎮撫総督:沢宣嘉は長崎赴任するときに、「九州鎮撫総督」という役目も命じられた。1869年1月に赴任して5月には、長崎裁判所は長崎府となり、沢は府知事に任命されるが、戊辰戦争が勃発すると、九州鎮撫の権限で藩兵2000人を動員して戊辰戦争の終結に貢献する。長崎からは振遠隊や島原の藩兵が送られた。

公家装束の沢宣嘉(画:下妻みどり)

長崎人の力:長崎裁判所が長崎府になると、宣嘉はそのまま府知事に就任する。長崎府は、幕末までの諸藩の聞役や藩士、地役人による組織「長崎会議所」がベースとなっていた。絶大な権力を持つ宣嘉だったが、長年培われた長崎の人々の組織力に支えられて、戊辰(ぼしん)戦争の対応な

●参考文献
『新長崎市史　第3巻　近代編』
『わかる!和華蘭～「新長崎市史」普及版』(長崎市)

長崎を離れたあとは、外交の道へと進んだ　画:西岡由香

どを乗り切ったともいえるだろう。

「浦上四番崩れ」を決断:長崎裁判所は、旧長崎奉行所西役所に置かれ、新政府の治世を担った。沢宣嘉は所長として九州全体を統括する大きな権力を持っていた。就任早々、浦上のキリシタンに改宗を迫るが、拒まれて信徒総流罪を決定。流配先での拷問などにより多くの人が命を落とす、過酷な「浦上四番崩れ」となった。市民にとって沢は「悪代官」のように映ったという。

現代の足跡

(下妻撮影)

宣嘉が総督となった「長崎裁判所」は、長崎奉行所西役所があった場所。その後長崎県庁が置かれたが、現在移転して空き地になっている(2023年現在)。宣嘉が決めた浦上のキリシタン配流「浦上四番崩れ」は、その後も「旅」として語り継がれた。浦上教会敷地内にはそれを記念する「信仰之礎」碑が建てられ、過酷な歴史を物語っている。

最後の長崎奉行と長崎会議所

大政奉還の年に長崎に着任した奉行·河津祐邦(かわづすけくに)は、翌年、鳥羽伏見の戦いでの幕府軍の敗戦を受け、諸藩の藩士とも協議の上、長崎から退去。ほどなく諸藩藩士や地役人による「長崎会議所」が町の運営に当たった。会議所はほどなく「長崎裁判所」、ついで「長崎府」へと改められた。江戸から明治へ、さほど大きな騒動も起きることなく移行できたのは、最後の奉行の判断、そして長崎の町だったからこそ、かもしれない。

ザビエル

フランシスコ ザビエル

1506年—1552年

宣教師

イグナチオ・デ・ロヨラとともにイエズス会を設立。東洋での布教を試み、インド、日本で宣教活動を行う。その足跡が刻まれた土地では、ザビエルが去ったあとも信者が増え、日本におけるキリスト教の土台となった。教科書にも載る肖像画とともに、信徒でなくとも、いまなお多くの人がその名を知る。

（日本二十六聖人記念館）

平戸に足跡を残すイエズス会創設者

略年表

1506年　ナバラ王国に生まれる
1525年　パリ大学に留学
1534年　ロヨラらとイエズス会創立
1537年　司祭叙階
1541年　インドに向けリスボンから出航
1545年　マラッカ到着
1546年　モルッカ諸島に到着
1547年　日本人アンジローと出会う
1549年　アンジローの案内で薩摩に到着
1550年　平戸・山口・堺などに滞在
1551年　京都に到着。豊後などに滞在
1552年　ゴアに到着。中国を目指すも病死
1619年　列福
1622年　列聖

◉参考文献
『旅する長崎学①』
『長崎游学⑧』

生い立ち:スペインのナバラ王国の貴族の家に生まれる。パリ大学でイグナチオ・デ・ロヨラと出会い、イエズス会を設立。清貧、貞潔、聖地巡礼の誓願を立てる。司祭に叙階されたのち、東洋への布教に出発。インドのゴアで布教、マラッカで日本人アンジローと出会い、日本での布教を目指した。

フランシスコ・ザビエルの肖像（神戸市博物館蔵）

日本布教:1549年8月15日、聖母の被昇天の祝日に鹿児島に到着したザビエルは、平戸や博多、山口ののち堺、京都へ赴く。天皇への謁見は叶わないまま、ふたたび九州へ戻り、大分などで宣教。西日本各地で確実に信仰の種をまいた。

平戸でのザビエル:ザビエルが来日した翌年、平戸に初めてポルトガル船が着いた。鹿児島にいたザビエルは、この船に自分宛の手紙があると思って駆けつけている。その後、京都へ向かうが、荒廃した京都から平戸に戻った。平戸がまだポルトガルと良好な関係だった時期で、領主の松

日本での活動はわずか2年あまりだったが、いまも大きな影響力をもつ　画:西岡由香

浦隆信もザビエルを歓迎し、布教も許している。ザビエルが滞在したとされる木村家からは、のちに長崎で殉教した修道士レオナルド木村や、日本初の司祭セバスチャン木村が生まれた。

（下妻撮影）

現代の足跡

ザビエルを三度迎え入れた平戸には、その名を冠した「平戸ザビエル記念聖堂」や、滞在した木村家の屋敷跡でもある崎方公園の「ザビエル記念碑」、ポルトガル船の入港地などがある。また、長崎市の日本二十六聖人記念館には、直筆の書簡が展示されている。

ほほえみの十字架

スペインのザビエル城には、ザビエルが子どものころから祈りを捧げ、彼の死に際しては血のような汗を流したという「ほほえみの十字架」が伝わる。長崎市の中町教会には、世界でただひとつの「ほほえみの十字架」のレプリカ（2004年制作）が安置されている。

（中町教会）

シーボルト

フィリップ・フランツ・フォン・シーボルト
1796年—1866年

どんな人　オランダ商館医・博物学者

19世紀前半に長崎を訪れ、医師として天然痘の予防接種や白内障の手術など近代的な西洋医学を日本人に伝える一方で、日本の自然や文化に関する膨大な資料を収集し、ヨーロッパに「神秘の国・日本」の姿を紹介した。その博物学的価値は今も失われていない。

（長崎歴史文化博物館蔵）

日本の自然や文化をヨーロッパに紹介

略年表

1796年　ドイツのヴュルツブルクで生まれる
1820年　ヴュルツブルク大学を卒業
1822年　オランダ領東インド陸軍外科少佐に任命。バタビアに出発
1823年　出島のオランダ商館の医師として長崎へ
1824年　「鳴滝塾」を開く
1826年　オランダ商館長の江戸参府に同行
1827年　娘イネが生まれる
1828年　「シーボルト事件」起こる
1829年　国外追放を申し渡され離日
1832年　『日本』刊行開始
1833年　『日本動物誌』刊行
1835年　『日本植物誌』刊行
1859年　オランダ貿易会社の顧問として再び長崎へ
1866年　ドイツのミュンヘンで死去

生い立ち:1796年ドイツのヴュルツブルクで、医学部教授の長男として生まれた。ヴュルツブルク大学で医学を学ぶかたわら、比較解剖学者ドリンガーや植物学者エーゼンベックらの影響を受け、博物学にも関心を抱く。自然史研究のためオランダ領東インドに渡り陸軍軍医少佐になったシーボルトは、オランダ商館医として長崎に向かうよう指令を受ける。その裏には、日蘭貿易をさらに発展させるために日本の自然、文化、風習などについて調査するという任務も帯びていた。

鳴滝塾を開く:出島の西洋人は市中を自由に出歩くことは許されなかったが、シーボルトは長崎奉行所に特別な許可をもらい、長崎郊外の鳴滝に塾を開いた。そこには、当時最新の西洋医学を学ぶために多くの日本人医師や蘭学者、阿蘭陀通詞たちが通ってきた。

「シーボルト事件」で国外追放:オランダ商館長の江戸参府に同行したシーボルトは、絵師川原慶賀を伴って道中の風景をスケッチさせ、測量や植物採集を行った。そうして集めた膨大なコレクションや日本地図が帰国予定の船の積み荷から見つかった。関係者は厳しい処分を受け、地図を渡した高橋景保は獄中死、シーボルト自身は国外追放「日本御構（おかまい）」を申し渡された。

◉参考文献
『シーボルト生誕200周年記念特別展　シーボルト家の二百年展　展示録』（シーボルト記念館　編集・発行、1996年）
『よみがえれ！　シーボルトの日本記念館』（国立歴史民俗博物館　監修、2016年、青幻舎）
『出島の医学』（相川忠臣　著、2012年、長崎文献社）

画:橋口美子

日本で収集した博物学の成果:帰国したシーボルトは、日本研究の成果を『日本』『日本植物誌』『日本動物誌』の著書にして刊行。当時ヨーロッパにとって東洋の神秘の国であった日本の詳細な資料は大きな称賛を集めた。さらにこれらのコレクションをもとに、ライデン、アムステルダム、ヴュルツブルク、ミュンヘンの各都市で日本をテーマにした博物館展示を行った。

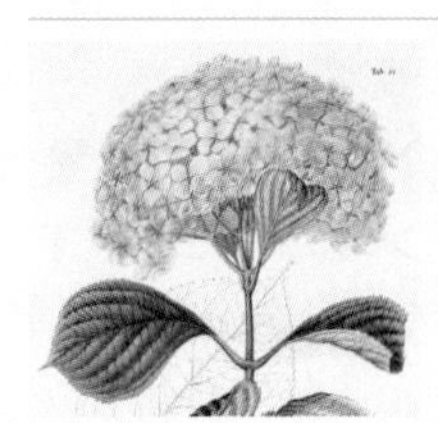

現代の足跡

国指定史跡シーボルト宅跡(鳴滝塾跡)に隣接して「シーボルト記念館」(長崎市鳴滝)が建つ。外観はオランダ・ライデン市のシーボルト旧宅を、玄関はシーボルトの祖父宅をイメージ。多彩な資料を展示しながらシーボルトの生涯や功績について紹介している。

関連人脈

二宮 敬作 (にのみや けいさく) 1804年~1862年

宇和島から長崎へ留学。蘭学や蘭方医学を学んだ後、シーボルトの門下生になる。厚い信頼を受けた弟子の一人で、江戸参府にも同行し、日本で初めて富士山の高度を測量した。シーボルト事件に連座して江戸、長崎への立ち入りを禁じられ故郷へ戻ると、イネを呼び寄せて医師として育てる。

関連人脈

楠本 イネ(くすもと いね)

1827年~1903年

シーボルトと遊女タキの間に生まれる。シーボルト門下の二宮敬作や石井宗謙のもとで医学修業をした後、長崎に戻ってポンペに産科、病理学を学んだ。ポンペが西坂の丘で行った日本初の解剖実習にもただ一人の女性医師として参加している。1870年に東京で開業。1877年には長崎に戻り銅座町で再び開業する。

関連人脈

高野 長英

(たかの ちょうえい)
1804年~1850年

岩手の水沢から蘭学に興味を持ち、1820年に長崎へ。鳴滝塾で蘭学、蘭方医学を学び、優れた能力から塾頭となる。シーボルト事件後は江戸で蘭学塾を開業。1837年に幕府がアメリカ商船を打ち払ったモリソン号事件を批判した罪で、2年後に起こった蘭学者への言論弾圧「蛮社の獄」で捕らえられる。いったんは脱獄して二宮敬作の手引きで宇和島藩にかくまわれ、兵備の洋式化などに貢献するが、1850年に江戸で再び捕縛され死亡。

志筑 忠雄

しづき ただお（「しつき」の説も）
1760年—1806年

阿蘭陀通詞・蘭学者・天文学者

生涯を蘭書の翻訳・研究に捧げ、独自の卓越した理解力、洞察力をもって数々の画期的な著作を残した。とくにオランダ語学、世界地理・歴史、天文・物理学の3分野において残した業績は日本の蘭学に新たな地平を拓いた。

高次元の学問を理解し翻訳した天才蘭学者

略年表

1760年　長崎に生まれる
1776年　養父志筑孫次郎の跡を継いで稽古通詞に
1782年　この年に稽古通詞退役か?
1782年　『万国管闚』刊
1784年　『求力法論』刊
1798年　『暦象新書　上編』刊
1800年　『暦象新書　中編』刊
1801年　『鎖国論』刊　『和蘭詞品考』もこの年か?
1802年　『暦象新書　下編』刊
1806年　『二国会盟録』刊、7月死去

生い立ち:長崎の中野家に生まれ、1776年に阿蘭陀通詞志筑本家の養子となる。稽古通詞に就くが、病気と口下手を理由に早々に職を辞し、47歳で死去するまで自宅にこもり、蘭書の翻訳・研究に没頭した。代表作に『助詞考』『蘭学生前父』『万国管闚』『鎖国論』『求力法論』『暦象新書』がある。

日本で初めて西洋文法を体系的に解明:オランダ語の文章を解読するのに漢文訓読式で行っていた時代に、志筑が紹介した本格的なオランダ語の文法体系、品詞の概念は、正しい文法の理解によるオランダ語専門書の解読につながり、後の蘭学者たちに大きな影響を与えた。

『暦象新書』はニュートン力学を紹介した生涯の偉業:イギリスの天文学者キールがニュートンの力学について解説した著作の蘭訳書を、20年以上の情熱をかけて翻訳・研究に打ち込んだ。上・中・下編からなる『暦象新書』では、「地動説」や「万有引力の法則」を紹介。志筑の高度な知性を知らしめる著作となった。

「鎖国」という言葉を生んだ:18世紀後半、国際情勢を知るために、志筑は『鎖国論』を著して海外から見た日本を紹介した。17世紀末に出島に滞在したケンペルが鎖国を肯定した『日本誌』の一部を翻訳し注釈を加えたもの。

◉参考文献
『蘭学のフロンティア　志筑忠雄の世界』（志筑忠雄没後200年記念国際シンポジウム実行委員会・編／2007年／長崎文献社）

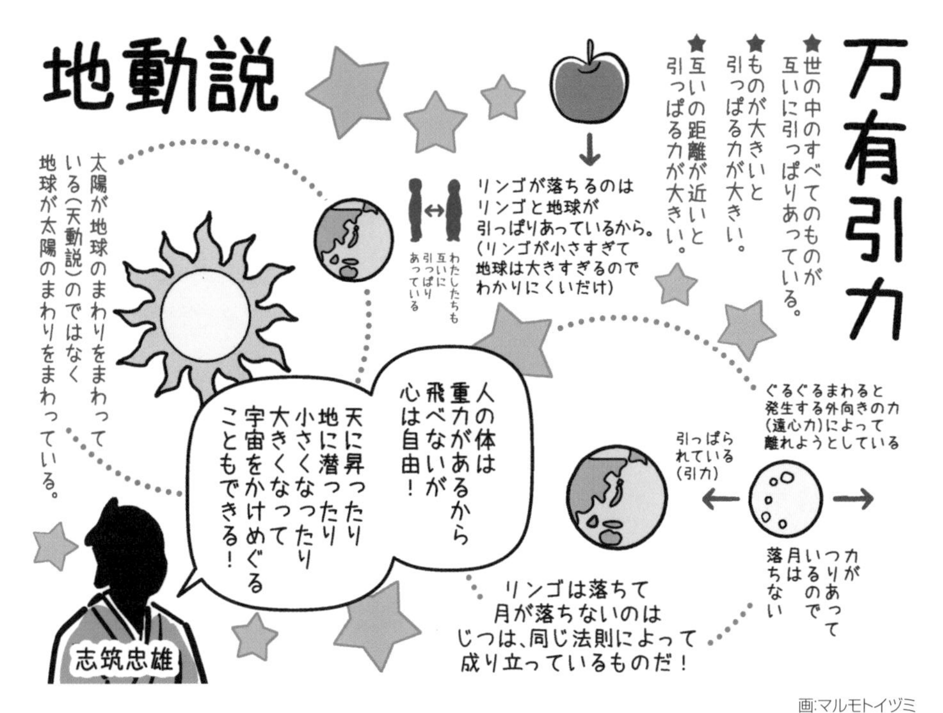

画:マルモトイヅミ

多くの写本が出回り、幕末の攘夷論の根拠にもなった。

新語・造語の天才:志筑は数多くの訳語を生み出した。

・「動詞」「自動詞」「代名詞」など品詞名、「現在」「過去」「未来」など時制を示す名称

・ニュートンの力学を数学的に正確に理解していた。そうして生まれた訳語に「引力」「求心力」「遠心力」「動力」「速力」「重力」「弾力」「物質」「分子」などの物理学用語

　これらの訳語や文法を詳しく書かれた志筑の著書は『蘭学生前父』と『助詞考』の2作である。

「心遊術」:人の体は重力によって地上に留まり、天を飛翔することなどできないが、知覚の心は自由で縛られることはない。天に昇ったり地に潜ったり、(略)マクロの意識は恒星を抱き、ミクロの意識は芥子粒にも潜ることができる。宇宙を経めぐり、天文の不思議を理解できる通力を“心遊”という。

関連人脈

馬場 佐十郎

(ばば さじゅうろう)
1787年〜1822年

長崎の阿蘭陀通詞。志筑忠雄に師事。オランダ語をはじめフランス語、英語、ロシア語に精通した。1808年に幕府天文方の蛮書和解御用掛(ばんしょわげごようがかり)として江戸に出府すると、師匠譲りの卓越した語学センスで、江戸の蘭学者たちを指導した。フランスのショメルの百科全書『厚生新編』やジェンナーの種痘書『遁花秘訣』などを翻訳・編纂した。

下村 脩

しもむら おさむ

1928年―2018年

どんな人 ノーベル賞受賞の有機化学者

長崎出身の有機化学者、海洋生物学者。ウミホタルの発光の基であるルシフェリンの結晶化に初めて成功。米国でオワンクラゲの生物発光に関わる研究を始め「緑色蛍光タンパク質の発見と開発」により2008年、ノーベル化学賞を受賞する。

共同通信

クラゲ研究でノーベル賞受賞した化学者

略年表

1928年　京都福知山市に生まれる
1944年　諫早市に疎開、旧制諫早中学転入
1948年　長崎医科大学附属薬学専門部入学、51年卒業
1955年　名古屋大学理学部の研究生に。翌年ルシフェリンを結晶化
1960年　米プリンストン大学研究員に
1961年　フライデーハーバーで研究。イクオリンと緑色蛍光たんぱく質(GFP)を発見
1963年　名古屋大学理学部附属水質科学研究所の助教授となる
1965年　プリンストン大学上席研究員となる(~1982年)
1981年　ボストン大学医学部客員教授となる(~2000年)
1982年　ウッヅホール海洋生物学研究所上席研究員に
2007年　朝日賞受賞
2008年　ノーベル化学賞受賞。文化勲章受章
2009年　長崎大学名誉博士(薬学)称号
2018年　長崎市で死去する。享年90

◉参考文献
『クラゲに学ぶ』(2010年 下村脩著 長崎文献社)

生い立ち:1928年、京都府福知山市に生まれる。父の仕事の関係で、佐世保、満州、大阪に転居、諫早市に疎開し、1944年、旧制諫早中学転入。その翌年に原爆を目撃する。長崎医科大学附属薬学専門部を卒業。名古屋大学、プリンストン大学で研究生活を続け、ノーベル賞受賞の成果を上げる。日本への一時帰国では、妻の実家のある長崎市大黒町に滞在し、晩年もこの町で過ごし、長崎で没する。『クラゲに学ぶ』の著書は、詳しい自伝となっている。

天からの指図:薬学専門部卒業後、武田薬品に就職応募するも不合格。就職を諦め長崎大学薬学部で安永峻五教授の下で4年間実験実習指導員を務める。安永教授は名古屋大学理学部に内地留学させようと、一緒に訪れたが、訪ねた教授は不在。代わりに応対した有機化学の平田義正教授が「私の所にいらっしゃい」と声を掛けてくれた。下村は、このことが「天の指図」だと思い、平田研究所の研究生になることを決めた。

平田研究室にて、若かりし日の下村博士(平田研提供)

イクリオン、GFP:名古屋大学理学部平田研究室でウミ

画:木村瞳子

ホタルの発光の基の結晶化に成功する。プリンストン大学のジョンソン教授に招かれて渡米。オワンクラゲの生物発光についての研究を始め、発光タンパク質であるイクオリンと、緑色蛍光タンパク質(GFP)の2つのタンパク質を発見。GFPは生命科学研究には不可欠な必須ツールとして役立っている。

1974(昭和49年)のクラゲ採りチーム。左から妻明美、ジョー・チャン博士、チャン夫人、ジョンソン夫人、下村博士、ジョンソン博士、右下に下村博士の子どもたち。

フライデーハーバーのオワンクラゲ:1967年以降、毎年夏になると研究に必要なオワンクラゲを採集するために家族総出でフライデーハーバーへ行き、合計約85万匹のクラゲを採集した。日本から手伝いに来てくれる仲間もいたが、半分以上は家族の手で採集したクラゲだという。

1971(昭和46年)プリンストン大学の研究室にて。右がジョンソン博士、左は大阪大学から来た小浜氏

三人の恩師により導かれた研究の道:研究課題は3人の恩師に示された道をたどったと『クラゲに学ぶ』の中で述べている。名古屋大学理学部の平田教授と出会うきっかけを作ってくれた安永峻五教授。生物発光研究の道を歩むきっかけをくれた平田義正教授。プリンストン大学研究員に招き、下村博士を20年にわたって支援してくれたジョンソン博士の3人。深い感謝の気持ちを語っている。

下村脩名誉博士
顕彰記念館

ノーベル賞受賞者下村脩博士を顕彰する記念館が長崎大学文教地区構内にある。下村博士が長崎大学薬学部在籍時に投稿した初めての学術論文や、ノーベル賞受賞につながった学術論文などが展示されており、ノーベル化学賞を受賞するきっかけとなったGFPについても詳しく紹介されている。

長崎大学薬学部にある

沈 南蘋

しん なんぴん

1682年—没年不詳（1731年〜1733年 長崎滞在）

画家

中国清代の画家。わずか2年足らずの長崎滞在で、江戸中期の日本画壇に大きな影響を与えた。緻密な写生と吉祥画題が特徴で、直弟子・熊斐（ゆうひ）をはじめとする「南蘋派」と呼ばれる画家たちによって全国に大流行となった。円山応挙、伊藤若冲らの江戸画壇にもつながっていく。

江戸期の日本画壇に新風を吹き込んだ中国人画家

略年表

1682年　中国浙江省に生まれる。清代の画家・胡湄のもとで学ぶ
1731年　来日。長崎に滞在。写生的な花鳥画の技法を伝える
1733年　長崎を発ち帰国
1760年　制作年が明らかになっている最後の年
？　年　没年不明

生い立ち：浙江省呉興の絹織物商人の家に生まれる。天才的な画家胡湄（こび）の弟子として清朝の宮廷画家の地位に就いたといわれる。徳川吉宗の求めに応じて1731年来日。日本人画家に指導して、1733年帰国。帰国後も日本からの注文に応えて多くの作品を送った。制作年が明記されたものでは、1708年から1760年の約50年間の作品が残っている。

徳川吉宗の招きに応じて日本へ：8代将軍吉宗は書画をこよなく愛し、名画を中国から輸入するよう求めたが、清代となると、宋・元代の名画は秘蔵され入手困難だった。ならばそれに近い絵を描ける画家を招こうと南蘋の師、胡湄を招きたかったがすでに死去、かわりに弟子が応じた。1731年、弟子の高鈞・高乾を伴って来日。長崎に1年10カ月ほど滞在し、1733年に帰国した。

日本人唯一の直弟子・熊斐：長崎滞在中、南蘋が過ごした唐人屋敷には一般の人は出入りできなかったが、唐通事で画家だった神代甚左衛門（くましろじんざえもん）は出入り自由で、直接教えを受けることができた。神代は中国風に熊斐（ゆうひ）と名のり、南蘋帰国後は1735年に派遣された弟子・高乾に3年間師事する。その後、熊斐に学んだ宋紫石、鶴亭、森蘭斎らが「南蘋派」の画風を全国に浸透させていった。南蘋の画風が

◉参考文献
『長崎派の花鳥画〜沈南蘋とその周辺』（上）（下）（越中哲也・徳山光・木村重圭監修、1980年、フジアート出版）

時代劇ドラマで
有名な8代将軍
徳川吉宗
絵が大好き。本人も狩野派に師事していた。
宋や元の時代の絵画を見たい！作品が手に入らないなら作家を長崎まで連れてきて！
すごく繊細で色もきれい！これ大好き！

沈南蘋の作品

緻密なスケッチと鮮やかなカラー。
鉤勒法と没骨法を使った画風は
当時の清においては保守的だったが
日本では新鮮で、大流行となった。

花鳥画の代表的な2つの技法

【鉤勒法（こうろくほう）】
細い線で輪郭を描き、その中を彩色する。

【没骨法（もっこつほう）】
輪郭を描かないで、初めから画面に形と色を同時に描く。

狩野派

室町時代から400年つづく流派。
親・兄弟などの血族関係を主軸とし、
御用絵師として襖絵などを描いた。
豪華で力強く格式ばった作品が多い。
武家に人気だったが、長く続くうち
マニュアル化してオーソドックスな
作風に（わるくいえばマンネリに）
なっていった。

画:マルモトイヅミ

全国に広がったのは、熊斐の功績なくしてはありえない。

古典的な狩野派がビックリ：狩野派が主流だった日本画壇には、南蘋の登場は新鮮なインパクトを与えた。羽毛の一筋、花びら一枚まで写実的で華やかな花鳥画の技法は、円山応挙（まるやまおうきょ）、伊藤若冲（じゃくちゅう）、与謝蕪村（よさぶそん）、渡辺崋山（かざん）などにも強い影響を与えた。

現代の足跡

南蘋の絵画の人気は江戸後期から始まり、明治・大正まで続いた。旧大名家や収蔵家の家には必ず数点の南蘋の作品が所蔵されていたほどで、真贋はともかく日本には数百点もの「南蘋」作品があるといわれている。

双鶴図（長崎歴史文化博物館蔵）

末次 平蔵

すえつぐ へいぞう

?年—1630年

どんな人 **朱印船貿易商・長崎代官**

博多にルーツを持ち、朱印船貿易商として財を成す。町の有力者でもあり、ライバル村山等安(とうあん)を追い落として代官の地位まで上り詰めた。台湾でオランダ商館とトラブルを起こしたのち、江戸の牢獄に幽閉され死を迎える。

春徳寺にある末次家の墓

朱印船貿易で長崎の町を豊かにした代官

略年表

? 年　博多の末次家の次男に生まれる
1571年ごろ　長崎に移る
1592年　秀吉より朱印状
1604年　家康より朱印状
　長崎代官となる
1619年　村山等安刑死
1628年　浜田弥兵衛事件
1630年　7月5日、死去
1676年　四代平蔵、密貿易の罪により失脚

生い立ち:博多の豪商・末次興善(こうぜん)の次男。開港当初の長崎に移り住む。名は政直(まさなお)、通称・平蔵。早くから渡航許可証である朱印状を受け、台湾や東南アジア各地との貿易を営み、大きな財産を築く。その後も一族は繁栄を謳歌するが、四代目で密貿易が発覚し没落した。

コスメとジョアン:父の末次興善は、ザビエル来日時に洗礼を受けたとされるキリシタンでもある。「コスメ興善」として、宣教師の活動や長崎の町の運営に尽力した。平蔵もジョアンの洗礼名を持っていたが禁教後に棄教し、キリシタンを弾圧した。「興善」の名は現在「興善町」として残されている。

父・興善は町の名に(下妻撮影)

二つの力:平蔵と末次家は、長崎開港から鎖国開始まで東南アジア一帯に貿易船を出し、巨万の富を得た。1619年に長年のライバルである村山等安を失脚させて長崎代官になると、さらなる財力と権力、2つの力を手に入れた。末次家断絶の後は高木家が長崎代官に任命されたが、その権力はずいぶん削がれた。

◉参考文献
『旅する長崎学③』
『新長崎市史』(第1巻自然編　先史・古代編・中世編)
『わかる! 和華蘭』(長崎市)

清水寺「末次平蔵船」下絵　（長崎歴史文化博物館蔵）

龍頭岩の鮮血：息子の茂貞（2代目平蔵とも）は、父・平蔵の墓所を造るため、長崎随一の「聖地」である城ノ古趾の「龍頭岩」を切り出そうとした。岩に刃を当てた瞬間、石から鮮血があふれたといい、町の人々は天罰を噂した。平蔵から4代目になると、密貿易で発覚し、莫大な財産はすべて没収となった。

城ノ古趾の龍頭岩（下妻撮影）

現代の足跡

長崎市立桜町小学校がかつての末次家の屋敷跡で、禁教前はサント・ドミンゴ教会だった場所。教会跡資料館では屋敷の礎石が見られる。末次家の墓所は春徳寺にあり、その背後の山中には二代目平蔵が父のために切り出そうとした「龍頭岩」がある。（下妻撮影）

関連人脈

村山 等安

（むらやま とうあん）
?年～1619年

平蔵の永遠のライバルが、村山等安だ。人好きのする性格だったようで、平蔵の父・興善だけでなく秀吉にも気に入られ、長崎代官となった。熱心なキリシタンであり、サント・ドミンゴ教会は等安が寄進した土地に建てられた。息子には大坂夏の陣で落命したフランシスコ神父、西坂で殉教したアンドレス徳安らがいる。平蔵は禁教後も続く等安の信仰を告発し、等安の失脚に加え、一族の男子すべてを斬首に追い込んだ。

鈴木 天眼

すずき てんがん

1867年―1926年

どんな人　ジャーナリスト

1898年から長崎で「九州日の出新聞」「東洋日の出新聞」を発刊。中央紙にはない独自の視点で読者に支持される。孫文の辛亥革命を支援し、長崎での記念写真が残っている。天眼の右腕で役員の西郷四郎は「姿三四郎」のモデルといわれる柔道家としても有名だった。

明治末期の長崎を報じた会津出身の新聞人

略年表

1868年　福島二本松藩士の家に生まれる
1880年　日下義雄の書生となる
1888年　20歳で初の著作『独尊子』出版
1890年　雑誌『活世界』を発行
1893年　二六新聞の主筆となる
1898年　長崎で「九州日の出新聞」創刊
1902年　「東洋日の出新聞」創刊
1908年　衆議院議員に当選
1910年　安南、南米、欧州を訪れる
1911年　辛亥革命起こる
1913年　孫文の見舞いを受ける
1914年　南洋を訪れる
1926年　死去

生い立ち:福島・二本松藩士の長男として生まれる。本名、力。誕生の翌年に始まった戊辰戦争で祖父を亡くす。12歳で郡役所の給仕となり、自由民権運動の組織を立ち上げようとするが抑えられた。13歳で上京し、会津出身の政治家日下義雄(後の長崎県知事)の書生となる。

激動の青年時代:上京後は東京大学予備門に入るが、不満を持ち退学。独学で様々な学問を修めた。1888年、20歳にして、政治、世相を評する初の著作『独尊子』を出版。また自由党機関紙の主筆となり、投獄される。すでに発病していた結核が悪化し、日下義雄が初代知事となっていた長崎に移り住み療養に入った。

長崎で新聞を創刊:2年ほどの療養ののち帰京した天眼は雑誌や著作を出版し、二六新聞の主筆となるが、激しい政府批判により幾度となく発行停止となる。また朝鮮の動乱に参加して帰国ののち身を追われ、二六新聞も休刊。「西海に臥薪の血を求め」、再び長崎に移り、そこで「九州日の出新聞」さらに「東洋日の出新聞」を創刊した。

辛亥革命の支援:天眼は日露戦争や軍国主義、朝鮮併合について独自の見解を論じるなど、己のジャーナリズムにより、社会を作り、支えようとした。天眼の「アジア主義」は、東京から遠く離れ、日本と世界をつなぐ接点であった

◉参考文献
『旅する長崎学⑰』、『長崎游学⑭』、『わかる！和華蘭』

長崎で2年間の療養生活をした若き日の鈴木天眼。気ままに街を歩き、長崎をつぶさに観察したという。

「今は鎖国時代からの恩恵に過ぎず、努力しなければ繁栄は望めない時代になる」というような警鐘もならしていた。

紡績工場
女性の権利や労働問題にも声を上げた。

その後、言論弾圧により数々の出版停止や、休刊という目にあった天眼は、新天地として長崎を選んだ。

女工たちの労働が12時間や16時間というのは容赦ならん！
労働を8時間に！
男女同格！
女性は産児器械ではない！
女性も政治参加を！
男女共学を！

西郷四郎

東洋日の出新聞

小説「姿三四郎」のモデルともいわれる会津出身の柔道家、西郷四郎を編集長として創刊。新聞刊行の記念事業で古式泳法を指導する游泳協会が設立されそれが現在の長崎游泳協会となった。

画:マルモトイヅミ

長崎でこそ醸成されたのかもしれない。その姿勢と活動を象徴するのが、辛亥革命の支持と孫文への支援だった。ともに新聞を創刊した西郷四郎が現地取材を行ったほか、多くの援助も行った。

孫文(中央)来訪時の記念写真

泳げ！長崎っ子

東洋日の出新聞は、新聞発行だけでなく、事業活動も行った。役員の西郷四郎は「瓊浦游泳協会」のちの「長崎游泳協会」の設立時の会長を務めた。長崎港郊外の鼠島から市民プールに道場を移しながら、いまも長崎っ子の夏の楽しみと研鑽の場として受け継がれている。

現代の足跡

天眼が西郷四郎らと始めた「東洋日の出新聞」の社屋跡は、現在の長崎市油屋町にあり「孫文先生故縁之地」の碑が立つ。社屋はその後、九州初の喫茶店「ツル茶ん」となった。現在ではトルコライスやミルクセーキが名物の人気店だ。店内には当時の資料が展示されている。

Who's Who Nagasaki 100

IV

高島秋帆
田川憲
陳平順
鄭成功
鉄川与助
ドゥーフ
ド・ロ神父
トーレス
永井隆
永見徳太郎
中山マサ
長与専斎
楢林宗建
西道仙
西岡竹次郎
西川如見

高島 秋帆

たかしま しゅうはん
1798年—1866年

「高島流砲術」開祖・砲術家

江戸末期の砲術家、洋式兵学者。開国圧力に危機感を抱き、西洋砲術を生かした高島流砲術を確立させた。門人多数、1841年には幕命により洋式砲術大演習をおこなっている。国際情勢に敏感で「嘉永上書」などいくつかの意見書を提出、兵力増強や開国の必要性を幕府に建議していた。

「高島平(たかしまだいら)」に名を残す砲術家は国防・開国を説く

略年表

1798年　長崎の町役人の3男として生まれる
1808年　秋帆11歳、フェートン号事件
1823年　オランダ商館長のもとで西洋砲術研究
1830年　オランダから鉄砲、兵法書を輸入
1840年　アヘン戦争。西洋砲術導入を上申
1841年　徳丸原大演習
1842年　讒訴により逮捕、以後10年半の幽閉生活
1853年　ペリー来航、釈放。伊豆韮山に逗留
1856年　西洋砲術開祖として賞詞
1866年　67歳で死去。墓は東京都文京区の大円寺にある

◉参考文献
『長崎偉人伝 高島秋帆』(宮川雅一　長崎文献社　2017)
『高島秋帆』(板橋区立郷土資料館　1994)

生い立ち:長崎の町年寄の家に生まれる。若くして出島オランダ商館に出入りし、蘭学に勤しんだ。父親やオランダ人から西洋砲術を学び、独自の高島流砲術を完成。江戸郊外の徳丸原の演習の大成功ののち讒言(ざんげん)のために幽閉され、10年余り表舞台から消える。ペリー来航の国難の時期に放免となり、お台場築造などを提言した。

徳丸原の洋砲大演習:幕府より遠征の要請を受けた秋帆は、長崎の地役人や各地の門人たちを合わせて85人2個中隊を編成した。荒川沿岸の徳丸原にほら貝が響き、モルチール砲3発が発射されて演習が開始された。馬上銃を撃つ騎兵隊、銃隊、野戦砲3門……陣形を変えながら、見る者を驚かせる演習だったという。現在の東京「高島平」の地名は、この演習に因(ちな)む。

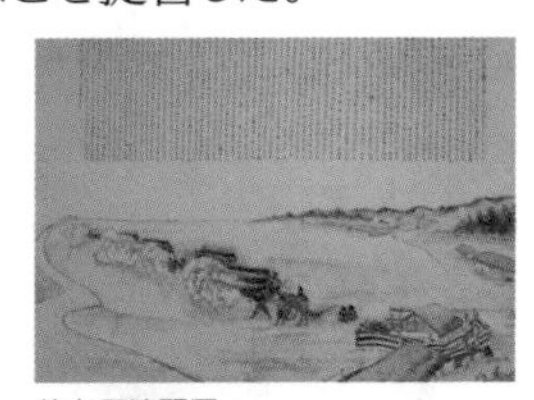

徳丸原演習図
(長崎歴史文化博物館蔵)

10年間の幽閉とペリー来航:いわれのない罪を着せられて1842年に幕府に捕縛された秋帆は、武蔵国岡部藩に10年間幽閉される。1853年にペリー来

世界遺産「韮山反射炉」と江川英龍

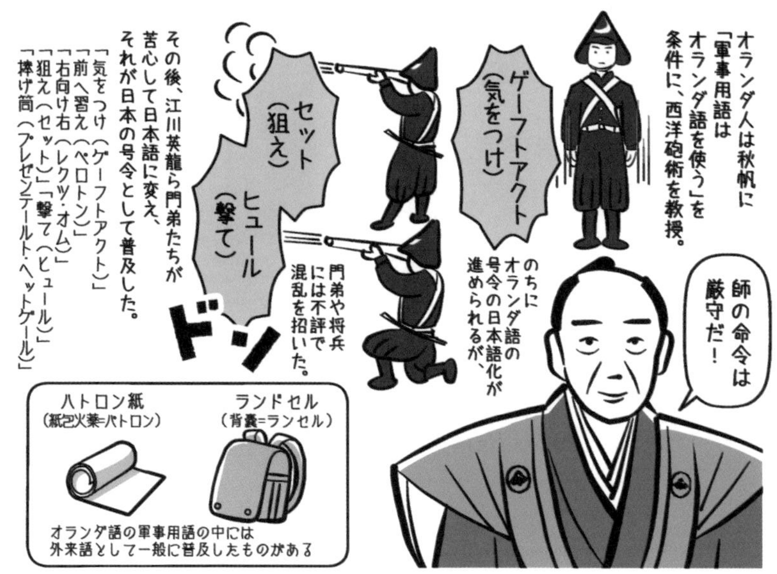

オランダ人は秋帆に「軍事用語はオランダ語を使う」を条件に、西洋砲術を教授。
ゲーフトアクト（気をつけ）
師の命令は厳守だ！
のちにオランダ語の号令の日本語化が進められるが、
門弟や将兵には不評で混乱を招いた。
セット（狙え）
ヒュール（撃て）
ドン
その後、江川英龍ら門弟たちが苦心して日本語に変え、それが日本の号令として普及した。
「気をつけ（ゲーフトアクト）」
「前へ習え（ペロトン）」
「右向け右（レクツ・オム）」
「狙え（セット）」「撃て（ヒュール）」
「捧げ筒（プレゼンテールト・ヘットゲール）」
ハトロン紙（紙包火薬=パトロン）
ランドセル（背嚢=ランセル）
オランダ語の軍事用語の中には外来語として一般に普及したものがある

画:マルモトイヅミ

航により、秋帆の上申書が見直され釈放された。保釈後は門人で伊豆韮山（にらやま）の代官江川英龍（ひでたつ）のもとで反射炉建設などの指導を行った。幕府が江戸湾にお台場の構築を始めたのも秋帆の建議による。

モルチール砲：佐賀藩武雄（たけお）領主・鍋島茂義（なべしましげよし）は秋帆にとって大名初の門下生。佐賀藩は長崎伝習所に多くの藩士を送るなど、西洋の近代技術の導入に積極的だった。茂義の依頼で、秋帆らが製造したモルチール砲が武雄市に展示されている。

（武雄市歴史資料館蔵）

いまも残る秋帆造語

オランダ人は秋帆に「軍事用語は必ずオランダ語を使うこと」を条件に西洋砲術を教授しており、号令は全てオランダ語で行った。「ランドセル（背嚢=ランセル）」や「ハトロン紙（紙包火薬=パトロン）」など、オランダ軍事用語の中には外来語として一般に普及したものがある。「気をつけ（ゲーフトアクト）」「前へならえ（ペロトン）」「右向け右（レクツ・オム）」もある。

現代の足跡

国指定史跡・秋帆の別宅跡

高島家本邸（現長崎市万才町）は火災で焼失、後年はこの別宅（現小島町）に移り住んだ。徳丸原大演習へも別邸から、従者たちを引き連れてこの階段を降りていった。

（長崎市東小島町）

わが国にパンを広めた？「パン祖・江川英龍」

門人の中には、「韮山反射炉」で有名な伊豆韮山代官・江川英龍がいる。英龍は「パン祖」とも呼ばれ、記念碑も建っている。兵糧食としての必要から取り入れたものだが、もとは出島オランダ人から教わった秋帆の使用人から学んでいる。

田川 憲

たがわ けん

1906年—1967年

どんな人　版画家

戦前は長崎南山手にアトリエを置き、版画集「新板長崎風景」など発表。終戦時にそれまでの作品を失う。戦後は、消えていく長崎の風景を自らの画に残そうと、「風化の街」「ながさき・おるごおる」などの作品を精力的に生み出した。

(田川家蔵)

「長崎弁でしゃべる風景」を彫りつづけた版画家

略年表

1906年　長崎市に生まれる
1924年　長崎市立商業学校卒業
1926年　画家を志して上京
1930年　日田で教員をしたのち再上京
1933年　長崎に戻り、南山手十番に住む
1934年　初の個展開催、画集刊行
1938年　従軍画家となる
1940年　長崎に戻り、南山手ロシア教会に住む
1941年　上海に住む。「憲」を号する
1945年　東シナ海を漂流後、五島に住む
1947年　山鹿に住む。「十字架鮫」
1949年　長崎に帰る。「浦上原爆遺跡」
1956年　このころ盛んに制作。「風化の街」等
1961年　「雲仙原生沼」天皇皇后両陛下に献上
1967年　3月16日、死去

生い立ち:長崎市に生まれる。本名・憲一。長崎市立商業学校卒業。若き日に詩人・タゴール、金子光晴、版画家恩地孝四郎らと出会う。画を志しながらも教職に就くなどしていたが、27歳で南山手十番にアトリエを置き、本格的に版画家として活動する。

自刻自摺(じこくじずり):長崎の風景、あるいは幻想的な連作など、田川の作品は幅広い。一貫しているのは「自刻自摺」であること。スケッチから下絵、彫りと摺(す)りのすべてを手掛けた。「私は大小合わせて約500点ほどの版画を作っているようである。平均4度摺りとして2,000度、それを30枚摺ったとして6,000度、私の手にバレンダコのできるのも無理はない」。それにより「価格が分割」された作品はサラリーマン階級にも支持され、親しまれた。

詩人の魂:詩人になりたい思いもあったという田川は、作品についての手記や、新聞などへの寄稿を多く残している。その文章は版画同様、厚みのある思索と高度な表現に裏打ちされた独自の文体で綴(つづ)られ、読む者を引き込む。「長崎の風景は、長崎の方言でしゃべっている」「長崎の底にはすべて幻燈のような歴史がある。それはここの風景に一種の風格と、根強い地方性と、美しい陰影をあたえている」(『日本の聖母の寺』)

◉参考文献
『ながさき開港450年めぐり～田川憲の版画と歩く長崎の町と歴史』(下妻みどり/長崎文献社)
『田川憲　長崎の美術6』(長崎県美術館)

版画として残す：戦後は「長崎原爆遺跡（浦上天主堂）」を皮切りに、長崎の風景を精力的に描いた。それは単に絵になるからではない。浦上天主堂の遺構が取り壊されたように、目の前で朽ち果て、忘れ去られていく居留地の洋館や町の風情を画になり得る限り版画として残すためでもあった。田川の作品は、長崎の町の語り部でもある。

「長崎港眺望」田川憲（田川家蔵）

深く観る

出島の日新ビル1階には、田川の孫・俊（たかし）さん夫妻による「田川憲アートギャラリーSoubi'56」があり、一点の作品を、手記やスケッチとともに、2カ月ごとに展示している。作品の背景や込められた想いを知ることで、より深い鑑賞へと誘われる。

田川憲アートギャラリー Soubi'56
長崎市出島町10-15日新ビル1階
095-895-7818
金土日営業 11:00〜18:00
（下妻撮影）

画：マルモトイヅミ

陳平順

ちん へいじゅん

1873年—1939年

どんな人　「四海樓」創業者

中国福建から長崎に渡り、26歳で「四海樓（しかいろう）」を開業。母国の苦学生らのために栄養満点の「支那（しな）うどん」、のちの「ちゃんぽん」を考案し、長崎の人々や著名人に広く愛された。いまでは町の食堂にも並ぶちゃんぽん。商標登録を一蹴したという平順の心意気が今日の長崎名物となった。

「ちゃんぽん」元祖はコウモリ傘1本で長崎に

略年表

1873年　福建省福州に生まれる
1892年　長崎に渡る（19歳）
1899年　料理店兼旅館「四海樓」を開く。明治後期「ちゃんぽん」の名称広まる
1918年　斎藤茂吉ら訪れる
1939年　平順死去
1956年　常陸宮殿下ご来訪
1973年　広馬場から松が枝町に移転
1977年　今上天皇陛下（浩宮）ご来訪
2000年　創業100年を迎え店舗を新築

生い立ち: 中国福建省の福州に生まれ、19歳で「ひと旗あげよう!」と長崎に渡る。当時の長崎は、西欧人・中国人が暮らした外国人居留地が華やかなりしころ。中国はまだ清朝（しんちょう）の時代だった。

リヤカーからの出発: 様々な国の人々が行き交う長崎に、平順はコウモリ傘一本だけを持って降り立ったという。すでに長崎で成功していた貿易商を頼りに、まずは反物の行商からスタート。遠く島原までもリヤカーを引いて、7年ものあいだ、コツコツと開業資金を蓄えた。

華やかな社交場「四海樓」: 26歳のころ「四海樓清国御料理御旅館」を、唐人屋敷の入り口の広馬場（ひろばば）に開業する。当時の写真には、立派な店構えと、誇らしげに並ぶ従

明治期の四海楼（長崎文献社蔵）

◉参考文献
『ちゃんぽんと長崎華僑』（陳優継／長崎新聞新書）
『旅する長崎学⑰』

ちゃんぽんは愛と思いやりから生まれた

かつての
自分のような
貧しい若者たちに
美味しくて、
安くて、栄養の
あるものを
食べさせたい！
人々が
よろこんで
ちゃんぽんを
食べてくれたら
それで満足！
陳平順
最初は
「支那うどん」
と呼ばれていた。
※彼はそう言って
特許の話を
断ったという。

画:マルモトイヅミ

業員たちが見える。天井には麻雀牌の絵柄が描かれていた。生演奏付きのカフェもあり、客はダンスも楽しめた。花街である丸山も近く、外国人も訪れる華やかな社交場「上海クラブ」として賑わった。

ちゃんぽんの誕生:平順は、かつての自分のように母国から渡ってくる若者たちへの援助を惜しまなかった。「うまくて安くて栄養満点」の料理を考案したのは、その一環でもある。故郷の麺料理に、豊富な長崎の食材を組み合わせた「支那うどん」はやがて「ちゃんぽん」と称して町の人たちにも愛され、長崎を代表する名物になった。

現代の足跡

ちゃんぽんの語源は「諸説あり」だが、「ご飯を食べる」を意味する福建の言葉からと思えば、スープの一滴もありがたい。平順の味を受け継ぐ「四海樓」には、店と味の歴史を伝える「ちゃんぽんミュージアム」が併設されている。

明治後期のちゃんぽん、皿うどん

明治後期の長崎に育った詩人・大野良子によれば「私共の時代には友達に今聞合わせてみても、『チャンポンは書生さんの食べる物』として一般には口にしなかった。（中略）それに反して皿うどんの方はどこの店でも大小自由に注文することができて、大皿を囲んで各自が自分の食べるだけを小皿に取り分けて食べられておいしいので、ちゃんぽんより一級上の物とされていた」（『記憶にのこる明治の長崎』宝文館出版）という。現在とは違う感覚だが、貧しい学生たちの食べ物だった始まりを裏付けているようだ。

鄭成功

ていせいこう

1624年—1662年

どんな人　政治家

中国の明(みん)王朝が清(しん)に滅ぼされそうなときに明を擁護する抵抗運動をつづけ、オランダに占領されていた台湾からオランダを追放。台湾解放の父として、孫文、蒋介石(しょうかいせき)とならぶ「3人の国神」として尊敬されている。

「国姓爺」物語にもなった台湾開放の英雄

略年表

1624年	平戸島で誕生
1631年	父の故郷中国福建に移住
1635年	「院考」という試験に合格
1644年	「国姓爺」の号を賜る
1658年	北伐軍を興す
1660年	有田焼を景徳鎮なみに扱う
1662年	台湾のオランダ人を一掃 同年逝去、息子が後継

生い立ち:父・鄭芝龍は中国福建省泉州出身。平戸藩川内浦に住み、日本人妻田川マツとの間に鄭成功が生まれた。千里浜には、マツが急に産気づき、浜の岩陰で出産した場所に「誕生石」がある。7歳のときに鄭一族の拠点厦門(あもい)、金門に移り、15歳で「院考」という試験に合格して、南京の「東学党」で学ぶ。明は滅び、亡命政権に仕えた鄭成功は「朱」の姓を賜り、「国姓爺(こくせんや)」と呼ばれた。明復活の闘いは南京で失敗。

平戸の川内千里浜にある誕生石

台湾解放:1662年、台湾を占領していたオランダ東インド会社を一掃して鄭氏政権を樹立した。東インド会社の台湾統地の中心となっていたゼーランディア城跡を、王城として息子・鄭経に託すが、熱病にかかり死去する。わずか39歳であった。台南市には鄭成功廟がある。

台南市の鄭成功像

◉参考文献
『旅する長崎学⑭』、ウィキペディア「鄭成功」ほか

画:木村瞳子

柿右衛門焼:明の海禁政策により景徳鎮(けいとくちん)の陶器を貿易できなくなった鄭成功は、有田の窯場で赤絵の技術を伝え、上質の磁器を作らせる。「柿右衛門焼(かきえもんやき)」に発展する。

隠元禅師の護衛で日本渡航成功:長崎の唐寺に招かれて渡航の危険にさらされていた隠元隆埼一行を鄭一族の水軍が護衛して無事に長崎に上陸できた。

現代の足跡

平戸市川内町の鄭氏屋敷あとに「金毘羅神社」が建つ。樹齢350年といわれるナギの木が境内にある。同市丸山公園には鄭成功廟があり、毎年7月14日には生誕祭の神事がおこなわれ、平戸ジャンガラの踊りが奉納される。

台南市の鄭成功廟

廟内の祭壇

鄭成功の母田川マツの位牌

近松門左衛門(ちかまつもんざえもん)『国姓爺合戦(こくせにゃかっせん)』

江戸時代の浄瑠璃作家近松門左衛門は鄭成功をモデルにした『国姓爺合戦』を書いて一世を風靡する。のちに歌舞伎の演目にもなっている。

鉄川 与助

てつかわ よすけ
1879年—1976年

大工の棟梁・教会建築家

五島列島を中心に、カトリック教会建築を手がけた大工棟梁・建築家。教会堂建築独特の構造や技術は外国人神父らの助言を受けた。学校・寺院・住宅も併せると100棟ほど、設計から関わった教会は約30棟、国や長崎県の文化財指定も多い。

（鉄川進一級建築士事務所提供）

世界文化遺産登録の教会を多数建築

略年表

1873年　キリスト教が解禁される
1879年　与助、五島中通島に生まれる
1906年　鉄川組設立
1907年　冷水教会
1908年　旧野首教会（県指定文化財）
1910年　青砂ヶ浦天主堂（国重要文化財）
1916年　大曽教会（県指定文化財）
1918年　田平天主堂（国重要文化財）、江上天主堂（国重要文化財）
1919年　頭ヶ島天主堂（国重要文化財）
1935年　﨑津教会
1976年　97歳にて死去

生い立ち:長崎県五島列島の中通島（なかどおりじま）に、大工棟梁の長男として生まれる。修行時代に手伝いをしたことから教会建築にのめり込む。27歳で家業を継いで鉄川組を設立。向学心が強く、自身は仏教徒ながら教会信者の想いを叶えるべく、仕事には妥協を許さなかった。大浦天主堂司教館建築においては、建築に造詣の深かったド・ロ神父が設計、与助が図面を引き、施工をおこなった。

細部へのこだわり:教会堂を建築するにあたって、禁教令から解放された信徒たちの祈りと願いを形にするために新しい技術に次々と取り組んだ与助。外国人宣教師に知恵を借り、潤沢にあるわけでない建築資金を信徒の献金や労働奉仕に支えられての施工では、絶対に手を抜かなかった。

旧野首教会:五島列島の小値賀（おぢか）町の無人島・野崎島、海に望む丘にポツンと残されるように建つ煉瓦色の教会。この島にはかつてキリシタンたちの暮らす集落が存在した。与助にとって初めての煉瓦造りの建造物である。

野崎島の旧野首教会（『珠玉の教会』より）

◉参考文献
『鉄川与助の教会建築』（LIXIL出版　2012）
『珠玉の教会』（三沢博昭　長崎文献社　2013）

旧野首教会の内部に見られるリブ・ヴォールト天井（『珠玉の教会』より）

頭ヶ島教会（かしらがしま）**:**どっしりした造りの正面は方形の塔に八角形のドーム型屋根。石造りの教会は全国的にも珍しいという。上五島町中通島と橋でつながった小さな島の小さな集落に建つ。資金に乏しく、地元の砂岩を利用するなどの工夫がなされている。

頭ヶ島教会（『珠玉の教会』より）

リブ・ヴォールト天井:ヴォールトとはアーチ型の天井で、アーチが対角線に組まれたものがリブ・ヴォールト天井（コウモリ天井）である。ゴシック様式に見られる設計や施工には高い技術が必要とされ、与助の苦心が偲ばれる。

鉄筋コンクリートに挑む:与助が初めて取り組んだ鉄筋コンクリート建築である長崎神学校の竣工は1922年。欧米からの先進技術で、全国に普及する前のことだった。建築学会の会合に遠方から参加していた研究熱心な与助は、先見の明を持っていたといえよう。程なく起こった関東大震災によって、わが国の大型建造物は鉄筋コンクリート造りへと転換していくこととなる。

大浦天主堂 旧長崎大司教館

ド・ロ神父との出会いは与助が30歳すぎ、70歳を過ぎた神父が出津から長崎に戻った頃と考えられる。2人で力を合わせた大浦天主堂の司教館は意義深い。建築中の事故により神父は急逝するが、与助は生涯師と仰いだ。

ドゥーフ

ヘンドリック・ドゥーフ
1777年—1835年

どんな人　出島オランダ商館長

出島に18年間滞在し、3度の江戸参府に赴いた出島のオランダ商館員、のち商館長。長崎港にロシアやイギリス船が来航、オランダ本国の併合による孤立など、度重なる苦難を乗り越えた。長崎の阿蘭陀通詞(おらんだつうじ)と協力してオランダ語の辞書を作ったことでも知られる。

フェートン号事件、辞書編集を手がけた商館長

略年表

1777年　オランダ、アムステルダムに生まれる
1799年　オランダ商館書記として出島に赴任
1800年　再来日
1803年　商館長に就任
1808年　フェートン号事件発生
1810年　オランダがフランスに併合される
1812年　蘭日辞書編纂を開始
1817年　8年ぶりにオランダ船が入港し出国
1819年　帰路、暴風雨で妻と日本からの品々を失う
1833年　日本回顧録を制作
1835年　オランダで死去

生い立ち:オランダ、アムステルダム生まれ。プロテスタントのルーテル教会で洗礼を受ける。1798年、オランダ東インド会社に就職、バタビヤに向かい、さらに長崎・出島へと渡った。

唯一のオランダ国旗:1799年、出島に赴任。火事などで荒れていたオランダ商館を立て直したのちに商館長となる。1817年に帰国するまでのあいだ、数々の事件や危機に直面した。中でも1810年から1815年のフランスによるオランダ併合の際は「地球上で唯一のオランダ国旗」が揚げられていたのが出島だったとされる。その功績により、最高勲章である「オランダ獅子勲章」を受章した。出島滞在中に「オランダ東インド会社(VOC)」が消滅した。

フェートン号事件:1808年のフェートン号事件では、商館員を人質に取られながらも日本側に助言し、交戦を避けた。本国の併合によりオランダ船が入らない時期は、長崎会所が生活費を援助するなど、ともにオランダ商館存続の危機を切り抜けた。商館員また商館長として、ドゥーフは最長となる18年間日本に滞在し、長崎の人々と単なるビジネス以上の友好関係を築く。

◉参考文献
『長崎游学⑨』
『旅する出島』(山口美由紀　長崎文献社)
『長崎ものしり手帳』(永島正一　長崎放送)

蘭和辞書を作る：オランダ船が来航せず、貿易業務ができないあいだ、長崎の阿蘭陀通詞・吉雄権之助らと協力して蘭和辞書『ドゥーフ・ハルマ』（『長崎ハルマ』）の編纂に着手した。ドゥーフが帰国後も通詞たちに引き継がれ、1833年に完成。印刷出版はされなかったため、緒方洪庵の適塾には辞書が置かれた「ドゥーフ部屋」があり、塾生が争うように利用したという。

『ドゥーフ・ハルマ』は適塾で奪いあいだった

息子の幸せを願い：鎖国下において、混血児の子供は出国できない。ドゥーフは遊女瓜生野（うりうの）との間に生まれた息子の丈吉の身を案じ、嘆願書を出した。地役人に取り立て、養育費として長崎会所に預けた砂糖の利益をあてるようにとの願いは、異例ながら聞き届けられた。時の長崎奉行は「遠山の金さん」の父、遠山左衛門尉景晋だった。道富（みちとみ＝どうふ）丈吉は唐物目利となったが、17歳で夭折した。

待てど暮らせど
入ってこない
阿蘭陀船。

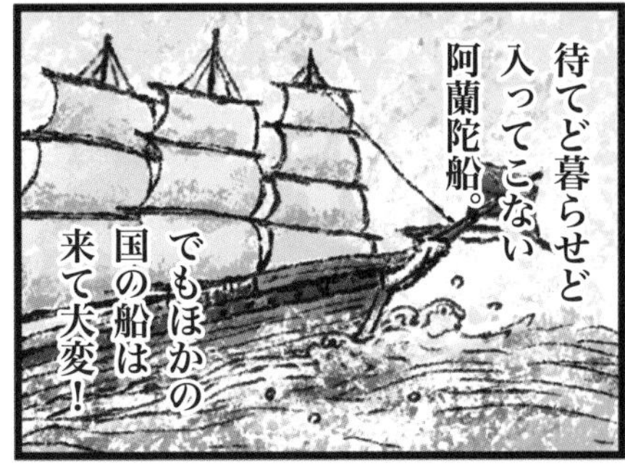

待てど暮らせど
入ってこない
阿蘭陀船。
でもほかの
国の船は
来て大変！

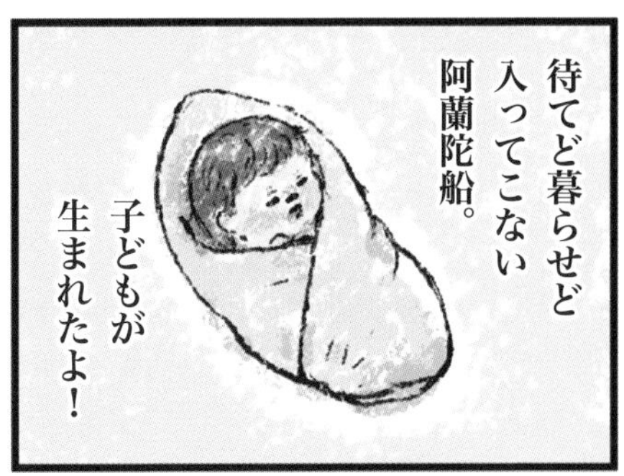

待てど暮らせど
入ってこない
阿蘭陀船。
子どもが
生まれたよ！

待てど暮らせど
入ってこない
阿蘭陀船。
こうなったら
辞書も作っちゃおう！

画：ヤマモトシホ

現代の足跡

ドゥーフが長い年月を過ごした出島は、彼が滞在していた18世紀初頭の姿の復元を目指している。旧西役所側は、明治期の河川改修で削られたが、反対の海側は、復元工事により、姿が見えている。商館長部屋などは忠実に復元され、2017年には表門橋がかけられた。

ド・ロ神父

マルク マリー ド・ロ
1840年—1914年

宣教師

禁教令が解けた後、貧しさを極めていた外海地区の主任司祭に着任。教会建設や授産、福祉、教育などに私財を投じ、自らも労働しながら人々の「魂と肉体の救済」のため後半生をささげた。外海(そとめ)地区出津(しつ)からは多くの日本人聖職者が誕生し、ローマ法王に継ぐ地位の枢機卿を2人輩出している。

深い人類愛を胸に外海の人々を貧しさから救った

略年表

1840年　フランス　カルバドス県ヴォスロール村で誕生
1865年　司祭叙階
1867年　パリ外国宣教会入会
1868年　プティジャン神父とフランスを発ち長崎に到着。大浦天主堂に石版印刷所を設ける
1875年　大浦天主堂横に羅典神学校完成
1879年　外海地区に赴任。授産場・孤児院・私学校を設ける
1882年　出津教会建設(1期工事)
1885年　鰯網工場・製粉所・診療所などを造る
1893年　大野教会建設
1898年　出津の野道に共同墓地の建設
1911年　大病して静養のため大浦天主堂に移る。司教館の設計・監督
1914年　11月7日、帰天

◉参考文献
『パリ外国宣教会　宣教師たちの軌跡』(脇田安大著、2018年、長崎の教会群情報センター)
『ド・ロ神父　黒革の日日録』(矢野道子著、長2006年、長崎文献社)
『神父ド・ロの冒険』(森禮子著、2000年、教文社)

生い立ち:フランス、カルバドス地方の貴族の家に生まれる。聖十字架学院在学中に出会ったデュパンルー司教の高潔な人格に感銘を受け、聖職者の道を志す。1867年にパリ外国宣教会に入会。翌年、禁教令下にある日本での宣教のため死を覚悟してパリを発つ。以来46年、故郷の土を踏むことはなかった。愛する外海の地に眠っている。

キリシタン復活を支えた大浦天主堂版:ド・ロ神父がプティジャン神父に伴われ長崎に上陸した1868年6月7日は、浦上四番崩れで捕らえられた浦上村信徒全員「総流配」の命令が下された、まさにその日だった。弾圧の嵐の中、復活したキリシタンたちに必要な教理書をひそかに印刷するために、ド・ロ神父は石版印刷(リトグラフ)の技術を駆使して宣教を続けた。印刷所が大浦の司祭館にあったため、これらは「大浦天主堂版」と呼ばれる。

貧しい外海に産業と教育と福祉を:1879年、人生の半分近くをささげることになる外海地区の主任司祭となる。驚いたのは外海の人々の貧しさだった。「人々の魂とともに肉体も助ける」。信仰を説くだけでなく、まずは生活の改善が必要と私財をなげうって産業を興し、自立につながる技術を身に付けさせた。授産施設として「出津救助院」「マカロニ工場」を設立すると、貧しい女性たちが織物や

画:西岡由香

染色、裁縫のほか、マカロニ、パン、ソーメンの製造、それらは長崎居留地の外国人たちに評判だったという。そのほか学校や孤児院を設立し福祉事業にも力を入れた。

教会建築や医療など多才を発揮:ド・ロ神父は実に多才な人で、医療や農業のほか、特に建築の分野に多くの功績を残している。大浦天主堂の「旧羅典(らてん)神学校」、出津集落の「出津教会堂」「旧出津救助院」「旧鰯網(いわしあみ)工場」、大野集落の「大野教会堂」はいずれもド・ロ神父の手になる建造物で、世界文化遺産の構成資産である。その技術は、教会堂建築を手がけた鉄川与助に伝えられた。

母と妹のはなむけの祭服

ド・ロ神父のために、貴族の父は相続に相当する莫大な金を贈与。億を超える金額が、教会建築や福祉事業のために使われる。母アントワネットと妹は、厚地白サテンの布に十字架と葡萄と少年イエスをデザインした刺繍を施し、金糸で縁かがりをしたミサ祭服をふた揃い贈った。この祭服は、「ド・ロ神父記念館」で今も目にすることができる。

現代の足跡

外海地区には神父の手による出津教会堂・大野教会堂をはじめ、この地方独特の「温石」を積み上げげた神父考案の「ド・ロ壁」が残り、外国風でいながら外海の景観に溶け込んでいる。中でも出津集落には、授産場やマカロニ工場、製粉工場、薬局が保存・修復された「旧出津救助院」、その向かいに神父の道具類や持ち物が展示された「ド・ロ神父記念館」があり、神父の偉業をしのぶことができる。集落内の野道カトリック共同墓地には、愛する外海の土となった神父が今も眠る。

「ド・ロ壁」の一例

トーレス

コスメ・デ・トーレス

1510年―1570年

どんな人　**イエズス会宣教師**

ポルトガル船レリーフ　（下妻撮影）

スペインのバレンシアで司祭となり、さらなる使命を求めてメキシコ、アジアへと渡る。ザビエルと日本に上陸、数々の困難を乗り越えながら、布教の基礎を固めた。「日本初のキリシタン大名」大村純忠に洗礼を授け、長崎の開港にも大いに寄与している。

ザビエルに布教を託され、長崎開港を導く

略年表

1510年　スペイン・バレンシアに生まれる
1538年　メキシコに渡る
1546年　モルッカ諸島でザビエルと出会う
1548年　ゴアでイエズス会入会
1549年　ザビエルとともに薩摩に到着
1551年　ザビエルに日本布教を任される
1556年　アルメイダをイエズス会に入会させる
1557年　豊後に病院を開く
1563年　横瀬浦で大村純忠に洗礼を授ける
1567年　アルメイダを長崎に派遣
1569年　ガスパル・ヴィレラを長崎に派遣
1570年　長崎開港に向けて活動。天草で死去

生い立ち：スペイン、バレンシア生まれ。司祭に叙階され教職にあったが「内なる声」に呼ばれ、故郷を後にする。現在のメキシコへ渡り、太平洋探検隊に参加するも、過酷な航海により隊は無くなった。しかし旅の途中でザビエルと出会い、大きな感銘を受ける。1549年、ザビエルとともに来日。

ザビエルの伴侶として：ザビエルが日本を離れたあと、トーレスは山口、豊後など活動を続ける。それぞれの地で、キリスト教に対する反発や、内乱、飢饉などに遭遇しながらも、学校や病院の開設、宣教師の養成などに尽力し、日本の布教の基礎を築いた。長崎県内では平戸や生月、口之津などに赴いている。

大村純忠の受洗：ポルトガル船が来航していた平戸で、仏僧との対立や宣教師の追放が起こると、トーレスは別の港を探した。1562年に横瀬浦が開港したのち、領主である大村純忠は家臣とともにトーレスから洗礼を受け、日本初のキリシタン大名が誕生した。

◉参考文献
『長崎を開いた人　コスメ・デ・トーレスの生涯』（結城了悟　サンパウロ）
『旅する長崎学①』

過酷な活動と生活のためか、40代から「善良な老人」と記された

画:西岡由香

長崎開港の立役者:横瀬浦が焼き討ちに遭い、次の福田も不十分だったことから、さらなる港を求めたトーレスは、大村純忠との会見や宣教師の派遣など、長崎開港への道筋を整えた。しかしポルトガル船の入港を見ることなく、1570年の秋、天草の志岐で天に召された。

長崎開港の碑(下妻撮影)

現代の足跡

大村純忠に洗礼を授けた横瀬浦では「南蛮船来航の地」碑や史跡公園に当時を忍ぶことができる。深く関わった「長崎開港」の記念碑も見ておきたい。トーレスが亡くなった天草には記念広場がある。

歴史と思いをつなぐ

トーレスについては、結城了悟神父による伝記に詳しい。スペイン出身の神父は、もと「パチェコ・ディエゴ」神父。日本二十六聖人記念館の初代館長となり、日本に帰化した。宣教師らの記録の翻訳・研究、殉教者の検証、キリシタンにまつわる記念碑の設立などに奔走。キリシタン時代に生きた人々や長崎の町の姿の多くが、神父の研究によって今に伝えられている。

永井 隆

ながい たかし

1908年—1951年

どんな人　医師・作家・平和運動提唱者

医学博士、平和の尊さを訴える『この子を残して』等の著作でも知られる。爆心地に近い長崎医科大学にて被爆。以降カトリックの教えを胸に、病床に臥しながら命の限り原爆症の研究と文筆活動を続けた。長崎市名誉市民第1号でもある。

被爆体験を書き残し、平和運動の象徴的な存在に

略年表

1908年　島根県松江市に医師の長男として生まれる
1928年　松江高校を卒業後、長崎医科大学入学
1932年　長崎医科大学卒業、放射線医学を専攻
1934年　カトリックの洗礼を受ける。結婚
1944年　医学博士になる。翌年白血病判明
1945年　爆心地から700メートルで被爆
1946年　『長崎の鐘』
1948年　如己堂に移り住む。『この子を残して』
1950年　映画「長崎の鐘」完成
1951年　最後の著作「乙女峠」脱稿。
1951年　43歳にて死去

生い立ち:島根県松江市に生まれ、長崎医科大学に入学。従軍経験を経て同大学助教授時代に被爆、妻を亡くし自らも重傷を負いながら救護活動に奔走する。まもなく原爆症に見舞われ、療養していた小庵「如己堂(にょこどう)」から作品を発表した。その言葉は国内外を問わず人々の心を打ち、昭和天皇への拝謁(はいえつ)、ヘレン・ケラー女史の訪問のほか海外カットリック関係者からの見舞いも多くあった。子どもたちのために植樹した「千本桜」など、博士の遺志は生き続けている。

己の如(ごと)く人を愛せよ:博士が晩年を過ごしたのは、潜伏キリシタンの指導者「帳方(ちょうかた)」を務めた、妻の曽祖父が住んだ場所である。その敷地に教会の仲間たちが建ててくれた小さな家を、博士は「己の如(ごと)く人を愛せよ」という聖書の一節から「如己堂」と名づけた。いまもそのまま保存され、博士の最期を偲ばせる。

(永井隆記念館蔵)

◉参考文献
『永井隆　平和を祈り愛に生きた医師』(中井俊已著　童心社　2007)
『長崎偉人伝　永井隆』(小川内清孝　長崎文献社　2018)
長崎市永井隆記念館HP

永井隆が生涯を閉じた「如己堂」　（山下撮影）

永井博士の帰天: 1951年5月1日、急激な体調悪化で長崎大学に緊急入院。「イエズス、マリア、ヨゼフ、わが魂をみ手に任せたてまつる」と祈り、長男から十字架を受け取ると「祈ってください」と叫んだ直後に息を引き取ったという。博士の葬儀は廃虚の浦上天主堂でおこなわれ、故人を慕う人々が多く集った。

（永井隆記念館蔵）

現代の足跡

石碑のない墓

水平に置かれた墓石には「パウロ永井隆」「マリア永井緑」と刻まれている。「わたしの墓に来てくださる方に、石碑を見上げていただいては気の毒だ。自分は見上げられるようなことはしていないし、見上げてもらうほどの人物でもない」と、地面に置くことを望んだという。

（長崎市坂本外人墓地内）

浦上天主堂 アンゼラスの鐘

アンゼラスは「天使」の意味。祈りの時間を知らせるため、天主堂の鐘が朝昼晩と鳴らされていた。ふたつあった鐘のうちのひとつが、原爆投下で瓦礫と化した浦上天主堂跡地から無事な形で掘り出され、生き残った浦上信徒の希望の光となった。

「新しき 朝の光にさしそむる 荒野に響け 長崎の鐘」（『如己堂随筆』より）

（原爆資料館蔵）

永見 徳太郎

ながみ とくたろう

1890年—1950年

どんな人　実業家・文化人

「夏汀（かてい）」を号して画文また写真に熱中し、竹久夢二、芥川龍之介ら長崎を訪れる芸術家たちを手厚くもてなした。より創作の高みを目指して上京。長崎や南蛮美術についての著作とコレクションは、後世に残るものとなった。

「銅座の殿様」と呼ばれ文化人を支援した豪商

略年表

1890年　銅座の豪商・永見家に生まれる
1912年　写真集『夏汀画集』出版
1916年　マレー半島でゴム園の経営を始める
1917年　『印度旅日記』
1918年　竹久夢二を迎える
1919年　芥川龍之介・菊池寛を迎える
1926年　上京する
1927年　『長崎の美術史』
1930年　『南蛮屏風大成』
1932年　『珍しい写真』
1934年　歌舞伎座の舞台写真撮影を認められる
1940年　神奈川県に移住
1950年　遺書を残し失踪

生い立ち:長崎銅座の永見家に生まれる。永見家は古くからの商人で、貿易商や大名貸し、地主として莫大な財を築いた。幼名は良一。母は正妻ではなかった。高等勝山小学校卒業、私立海星商業学校は退学している。17歳で6代目徳太郎を襲名。少年のころより文芸趣味があった。

銅座の殿様:永見家は、古くは出島や長崎会所にも出入りした商人で、特に幕末からは貿易や貸し付け業などを手広く行い、一族で大きな財産を築いていた。襲名後の徳太郎は、倉庫業、市会議員、商工会議所議員、ブラジル国の名誉領事までも務めた。実業だけでなく、「夏汀」の名で文を成し、絵を描き、写真を撮った。馬で町をゆく姿は、まさに「銅座の殿様」であった。

芥川龍之介（中央）来訪時の写真。右端永見

文化人との交流:外国へ行くことも難しかった時代、多くの作家、芸術家たちが、異国情緒と歴史を求めて長崎を訪れた。徳太郎は貴重な美術品のコレクションとともに彼らを手厚くもてなしたので、「長崎では永見の家に行け」といわれていたという。中でも芥川龍之介や竹久夢

◉参考文献
『長崎南蛮余情』（大谷利彦／長崎文献社）
永見徳太郎「長崎版画の長崎八景」『長崎談叢』第三輯／1928年発行
『長崎偉人伝　永見徳太郎』（新名規明　長崎文献社　2018））

二は、徳太郎がサポートした長崎滞在を糧に、いくつもの作品を生み出した。

芸術への思い:自らも絵を描き、文を成し、カメラを手にしていた「アーティスト・徳太郎」は、来訪する芸術家たちからも大いに刺激を受け、創作への思いがつのった。家業が傾いたこともあり、心機一転、上京。小説、戯曲を成し、歌舞伎座で初めて舞台写真撮影を許されるなど、執筆、撮影に励む。しかし本命である文芸で思うような評価は得られないままであった。

上京後の運命:1940年に神奈川県に移住したあと、10年後に遺書を残して失跡し悲運の最期となった。

あの南蛮屏風も

本人は文芸の道を極めたかったようだが、徳太郎の才能は『長崎の美術史』『南蛮屏風大成』など、長崎の美術や歴史の研究でこそ開花したかもしれない。また「殿様」時代からの美術品収集は南蛮屏風や工芸品など多岐に渡り、現在の神戸市立博物館のコレクションの一角をなしている。

現代の足跡

「銅座の殿様」と呼ばれた永見家は、現在の銅座町にあった。芥川龍之介が長崎滞在中に描いた「河童図屏風」(写真)は、長崎歴史文化博物館に収蔵されており、龍之介の「河童忌」に合わせて公開されることも。インドの旅や、長崎の風景を描いた徳太郎自身の油絵も、長崎県美術館で度々展示されている。銅座町には「永見徳太郎通り」がある。

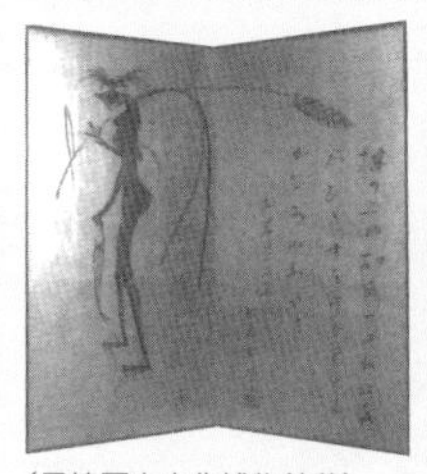
(長崎歴史文化博物館蔵)

画:マルモトイヅミ

中山 マサ

なかやま まさ

1891年—1976年

どんな人　政治家・初の女性大臣

戦後、女性参政権が認められてすぐの選挙から当選8回、昭和35年には所得倍増計画など高度経済成長期を支えた池田勇人内閣にて女性として初入閣、厚生大臣を務めた。女性議員・女性閣僚の草分け的存在である。

女性初の厚生大臣として政界で活躍した4児の母

略年表

1891年　長崎市に生まれる
1903年　活水女学校に進学
1911年　渡米、オハイオ州ウェスレヤン大学へ
1916年　帰国。活水女子英語専門学校、長崎市立高等女学校教師
1923年　弁護士・中山福蔵と結婚
1924年　夫・福蔵、初出馬は落選、長男・太郎誕生
1932年　夫・福蔵初当選、衆議院議員に
1947年　第23回衆議院議員総選挙にて初当選、以後当選8回
1960年　第1次池田内閣で厚生大臣として入閣
1969年　四男・正暉に地盤を譲って引退
1976年　85歳にて死去

生い立ち:米海軍除隊後に貿易商を営んだ父と日本人の母との間に生まれた。活水女学校から米国留学、教職を経て、のちに参議院議員となる中山福蔵と結婚。男児4人を育てながら夫の政治活動を支え、マサ自身は1947年の衆議院議員選挙にて56歳で初当選した。厚生大臣就任時は69歳、在任約5カ月と短かったものの母子家庭への児童扶養手当の法制化等、弱者救済に尽くした。

友と過ごした女学校時代:英語を身に付けたくて外国人女性の設立した活水女学校へ進学したマサは、同級生の才女「お市さん」と意気投合した。2人は時間を忘れて討論することも度々だったという。「お市さん」こと神近市子は女学校退学後に上京、『青鞜』に関わったり投獄されたりと波瀾万丈な人生を送る。マサと神近はともに議員となって再会を果たす。

中央がマサ(『おマサさん』より)

政治家夫婦:夫・福蔵は選挙4回目にして初当選。子育てに追われる中、マサは必死に夫を支えて

当選を喜びあう中山夫妻

◉参考文献
『おマサさん』(高山太郎　サンケイ出版　1977)

応援演説までこなした。戦後になって2回目の選挙に夫婦で出馬し、マサは当選、夫は落選という皮肉な出来事もあった。いかなる時も、ふたりは互いにとって最高の理解者だった。

4児の母として56歳で政界へ:戦後最初の選挙で女性の被選挙権が認められ、女性議員第1号が誕生。マサが夫の勧めもあって立候補して初当選を果たしたのは、戦後2回目の選挙である。そのときマサは4児の母、56歳だった。当選同期には、田中角栄・鈴木善幸・中曽根康弘などのちの総理大臣経験者の姿もあった。代議士としてシベリア抑留者の引上げ活動や角膜移植法の推進に携わっている。

わが国初の女性閣僚誕生:第1次池田内閣閣僚の紅一点、マスコミの目はマサに注がれた。上背もあるしっかりした体格で、男性閣僚に囲まれた集合写真でも見劣りしない。当時、政治の世界はほぼ完全に男性主体。厳しい評価にさらされながら、女性ならではの視点を政策に活かして後輩たちのために道を切り開いた。

マサに次ぐ2人目の女性大臣は、2年後に誕生した近藤鶴代科学技術庁長官。近年では複数の女性の入閣も珍しくなくなったものの、欧米諸国に比べると決して多くはない。

第一次池田内閣

執務中の様子（『おマサさん』より）

車から鳴り響くのは「アイルランドの花売り娘」という歌。
♪花カゴかかえて誰をまねく〜

あのねえ、むかしむかしあるところに……

さて皆さん、私が、この度立候補しました夫人自由党の……
ジャーン

結果、初出馬で初当選。

画:ヤマモトシホ

長与 専斎

ながよ せんさい

1838年—1902年

どんな人　医師・衛生官僚

岩倉使節団に参加して、欧米を視察。西欧の医療・衛生行政に目を開かれ、日本にも根付かせようと尽力した。明治の衛生行政の多くは、専斎によって立案・施行され、彼がなしとげた衛生・種痘の普及が、明治以降の人口増加につながった。

明治日本の衛生制度を整えた大村出身の医学者

略年表

1838年　大村に生まれる
1854年　緒方洪庵の適塾に入る
1861年　医学伝習所でポンペに学ぶ
1866年　医学伝習所、養生所から改称した「精得館」でボードインに学ぶ
1871年　岩倉使節団の一員として欧米視察
1873年　文部省医務局長
1874年　医制制定。東京医学校校長
1875年　内務省初代衛生局長
1876年　「天然痘予防規則」を制定
1877年　「虎列剌（コレラ）病予防心得」出され、建言書「衛生意見」を大久保利通内務卿に提出
1879年　中央衛生会を設置
1880年　伝染病予防規則を制定
1884年　大日本私立衛生会を設立し「公衆衛生」普及を目指す
1902年　日ケ窪の自宅にて逝去

◉参考文献
『長崎偉人伝　長与専斎』（小島和貴著、2019年、長崎文献社）
『出島の医学』（相川忠臣著、2012年、長崎文献社）

生い立ち:大村藩の藩医を務める医家に生まれる。祖父の俊達（しゅんたつ）は、天然痘の種継ぎ法を確立させた。4歳で父を亡くした専斎は祖父に育てられ、12歳のとき藩校五教館（ごこうかん）で漢学を修め、17歳で大阪の適塾（てきじゅく）で蘭学を学ぶ。その後、長崎の医学伝習所（後に養生所、精得館）で、ポンペの近代西洋医学に啓発され、ボードイン、マンスフェルトに師事。この長崎時代に井上馨（かおる）、木戸孝允（たかよし）、伊藤博文など、後に明治政府の重鎮となる長州人脈を得たことが、衛生官僚としての道を拓いた。

岩倉使節団に参加して欧米の「衛生行政」を知る:明治政府が1871年に欧米へ派遣した「岩倉使節団」への参加が人生の大きな転機となる。西欧の医療制度の調査に当たった専斎が目にしたのは、国民の健康保護を行政組織が担う重要な制度だった。日本を近代国家にするには医学などの学術を政務的に運用する必要があり、医療官僚である専斎にとってライフワークとなった。

感染症拡大を防ぐ制度の立案:健康保護を「衛生」という言葉で表現した専斎は、医務局を「衛生局」と改称し、内務省初代衛生局長となる。1876年、すべての人に種痘を義務付ける「種痘制度」を発足させる。そのほか、外国人と接することの多い開港場に、防疫・検疫制度を導

入し、上下水道を整備させ、感染症拡大を予防する制度の確立に取り組んだ。

近代日本の道筋を示した「衛生意見」：欧米で見聞した情報をふまえ、近代日本が今後進むべき医療・衛生行政のあり方を示した歴史的な建言書が、専斎の「衛生意見」である。これは大きく2つの施策に分けられ、「介達衛生法」は医師や薬舗を国家によって管理するための取り組み、「直達衛生法」は伝染病の流行など住民の健康問題への対応を進めるための法だった。

医学教育・医師免許の制度を改革：日本の医学教育を近代的な制度に改革し、基礎科学を学ぶ「予科」と臨床医療を学ぶ「本科」に学科を分け、西洋医学を修了した者だけが受験して資格を得られる「医師免許制度」を確立した。薬事関係の改革にも取り組み、医薬品の品質規格を厳しく定めた「日本薬局方」を1883年に制定した。

北里柴三郎をバックアップ、盟友・福沢諭吉に紹介する：北里は、マンスフェルトに医学を学び、ベルリンに留学してコッホのもとで細菌学を学ぶ。破傷風菌の純粋培養に成功するなど大いに成果を上げた。専斎は、北里の研究成果を日本でさらに発展させるための「場所」が必要と考え、適塾以来の盟友・福沢諭吉に相談。1892年、日本の伝染病研究史上に名を残す「伝染病研究所」が開設された。

北里柴三郎

専斎は適塾で福沢諭吉と悪戯仲間だった
いつも知ったかぶりのアイツをからかってやろう
長与
福沢
ニヤッ
博学の君のことだ。この珍味の名を教えてくれたまえ
しずしず
おっ何でもきいてくれ
（賞味期限過ぎた豆腐）
こ、これはだな・・・キ、キリンプという
みたかあいつの面
ダダッ
うえっ
ははっ
くく…
まるで落語「ちりとてちん」二人は、生涯にわたって親友だった

画:橋口美子

楢林 宗建

ならばやし そうけん

1802年—1852年

どんな人 蘭方医・日本初の牛痘接種成功

シーボルトに師事して臨床医学を学ぶ。のち佐賀藩医として牛痘接種法導入に取り組み、1849年には自身の幼い息子への牛痘接種に成功。この時の痘苗が長崎から全国に広まり、種痘の普及に大きく貢献した。

(『出島の科学』より)

種痘を全国に普及させる先駆けとなった佐賀藩医

略年表

1796年　英国人医師ジェンナー、牛痘接種に成功
1802年　長崎在住の佐賀藩医を父に誕生
1823年　オランダ商館医シーボルト来日。宗建、シーボルトに師事
1827年　佐賀藩医となる
1840年　家督相続、佐賀鍋島侯御側医格
1847年　牛痘接種法導入を藩主より命じられる
1848年　オランダ商館医モーニッケ来日
1849年　実子への接種に成功、全国に広がる
1852年　50歳にて死去

◉参考文献
『出島の科学』(長崎市立博物館 1990)

生い立ち: 阿蘭陀通詞(おらんだつうじ)・楢林流外科初代の楢林鎮山(ちんざん)の家系に生まれる。兄・栄建とともにオランダ商館医シーボルトに師事して臨床医学を学んだ。長崎在住のまま佐賀藩医となり、藩命により牛痘接種の導入を目指すが、輸入牛痘苗は航海中に変質して失敗。出島のオランダ商館医モーニッケの協力のもとバタビア(ジャカルタ)から瘡蓋(かさぶた)で取り寄せて成功すると、まず長崎の子どもたち、ついで佐賀藩、数カ月で全国へ広がった。牛痘伝来の経緯と手法伝達のために『牛痘小考』を著す。

種痘法の普及まで: 「人痘」をわが国へ最初に伝えたのは隠元禅師の弟子の唐僧で江戸時代初期のこと。その後1798年にイギリス人ジェンナーが牛痘接種法を発表すると、すぐにヨーロッパ中に広まる。1823年にはシーボルトが「牛痘」を携えて再来日するがうまくいかず、シーボルトに師事していた宗建の懸案となった。後任

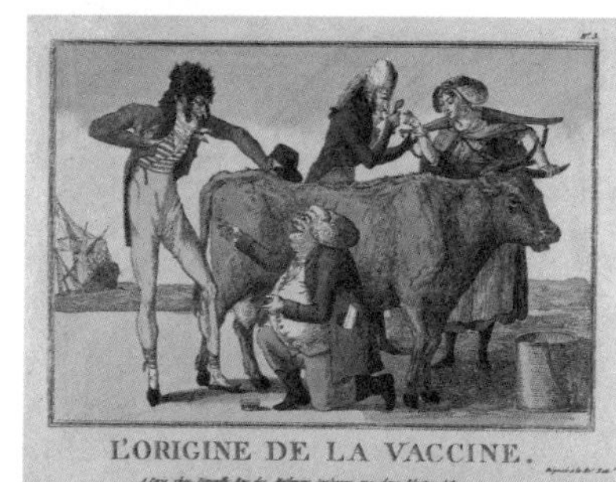

搾乳婦の牛痘を調べるジェンナー

の商館医モーニッケのもとで、宗建が「牛痘」苗の輸入法を工夫して成功するのは1849年、シーボルトの弟子たちを中心に全国へ伝播した。

佐賀藩での取り組み:宗建が藩医として牛痘法導入を目指していた時の佐賀藩主は、名君として名高い鍋島直正（なべしまなおまさ）。直正自身が幼い頃に天然痘にかかった経験があり、佐賀藩で流行したのを機に宗建に牛痘法導入を命じた。長崎での成功ののち宗建が痘苗を佐賀にもたらすと、直正はただちに実子に種痘を施して効果を確認し、藩内そして江戸へと普及させていった。

楢林宗建種痘接種の図（佐賀県立病院好生館蔵）

関連人脈

オットー・モーニッケ

1814年〜1887年

ドイツ人軍医、1848年オランダ商館医・自然科学調査官として来日。彼が持参した痘苗は失効していたが、宗建の提案で瘡蓋（かさぶた）の形で輸入、成功した。出島で気象観測をおこない、聴胸器を初めてもたらした。新種のタツノオトシゴや昆虫の発見など博物学上の業績も大きい。

モーニッケの聴胸器（長崎大学図書館医学分館蔵）

人類と天然痘との闘い

天然痘は一度かかれば2度とかからない。それを利用して瘡蓋（かさぶた）や膿から感染させる「人痘法」は、古くからさまざまな方法が試されていたものの、安全性や確実性は今ひとつ。英国人医師エドワード・ジェンナーは、人のものより症状が軽い「牛痘」に着目して安全な種痘に成功した。実施のしやすさも相まって、瞬く間に欧米に広がった。

民衆に普及した種痘の様子を描く米国の風刺画

西 道仙

にし どうせん

1836年—1913年

どんな人　医師・政治家・教育者

明治期の長崎を代表する文化人。天草に生まれ漢方医学を学び長崎に移り住み開業した。私塾を開いて後進を育成、新聞社を立ち上げて戦争報道などジャーナリストとして活躍。政治家としても長崎の近代インフラを整備するなど八面六臂の活躍をした。「万歳三唱」を広げた人物。

「眼鏡橋」の名付け親で明治のジャーナリスト

略年表

1836年　天草・御領村で生まれる
1852年　帆足万里らから漢方医術を学ぶ
1863年　長崎に移住
1868年　沢宣嘉が長崎に着任。道仙自著を献上
1872年　本大工町に私塾瓊林学館を開く
1873年　本木昌造、松田源五郎らと「長崎新聞」を発行
1877年　西海社を設立して「長崎自由新聞」を発行
1878年　長崎区の戸長に選ばれるも1日で辞任
1882年　長崎区会の議長になる
1886年　水道事業推進
1889年　長崎市会議員選挙に当選
1902年　政治団体崎陽公同会を結成
1913年　本興善町の自宅で死去

◉参考文献
『西道仙』(長嶋俊一　長崎文献社 2004)
『賜琴石斎　西道仙その生涯と事績』(NPO法人 長崎史談会編　2020年)

生い立ち: 1836年1月1日に天草・御領村の開業医の子に生まれ、神童といわれた。17歳で豊後の漢方医帆足万里(ほあしばんり)の塾に入門するなど熱心に医術を学んだ。1863年、道仙は長崎に移住して酒屋町(現在の栄町)に医院を開業。西家はもともと長崎奉行所の御用医師の家系であった。

沢宣嘉(さわのぶよし)からもらった褒美とは: 長崎裁判所総督に着任した沢宣嘉に対し「医師免許制度の創設」などを建白。さらに自著を献じるなどの貢献が認められ、鳴滝の山中にある「琴石」を賜られた。以後、自らを「賜琴石斎(しきんせきさい)」と号する。

琴石

学校、新聞社をひらいて選挙にもでた: 1872年、私学校「瓊林学館(けいりんがっかん)」を創設。常に300人の生徒がいたという。翌年、本木昌造や松田源五郎らと「長崎新聞」を発行するが、すぐに廃刊。1877年には「長崎自由新聞」を発行、西南戦争を報じたが、戦争が終結すると休刊する。同年、長崎区(のちの長崎市)の戸長に公選で選ばれたが、翌日辞任、「1日戸長」と呼ばれる。以降、政治の道に身を投じる。晩年は多くの石碑に撰文・揮毫をした。1913年7月10日、本興善町の自宅で死去。享年78。

長崎水道論:明治初期の長崎の飲料水は、井戸水と倉田水樋で賄われていたが、衛生上の問題があった。道仙は「長崎水道論」を記し水道設置を訴えた。ところがダム建設費用に莫大な市民の負担がかかることから反対運動が巻き起こる。反対派が道仙宅を取り囲み激しく罵倒したが、道仙は「余が新著を読むべし」と叫び本をばらまいたという。道仙は市長の金井俊行と県令(知事)の日下義雄と共闘し、1891年に日本最初のダム式の近代上水施設を完成させた。

幕末の志士たちとの関わり:勤王の志士たちと道仙は気が合った。坂本龍馬に詩を贈ったという話もある。西郷隆盛贔屓だった道仙は「長崎自由新聞」で西南戦争の戦況を詳しく報道した。西郷が自刃して西南戦争が終結したときには、

　孤軍奮闘破圍還　一百里程壘壁間
　吾劍既摧吾馬斃　秋風埋骨故鄉山

という西郷の心情を詠んだ詩を掲載。この絶句は長い間、西郷自身が詠んだものだとされていた。

万歳三唱の一般化:万歳を「バンザイ」と発音したのは帝国憲法発布の際、明治天皇に対し三唱をしたのが最初。道仙は祝宴のたびに万歳三唱を行って一般にこの習慣を広めた。

眼鏡橋の名付け親

「第十橋」とは「眼鏡橋」のことである。上流から数えて十番目に当たることからそう呼ばれていた。当時の石橋群には決まった橋名がなかったのである。1881年に長崎区連合町会で審議され、議長である道仙が中心になって各橋の正式名称が決定された。

画:ヤマモトシホ

西岡 竹次郎

にしおか たけじろう
1890年―1958年

どんな人　政治家

長崎を愛した政治家。1910年代の早稲田大学の学園紛争の仕掛け人として「人生劇場」のモデルといわれる。ロンドン大学に留学し、帰国後1924年に普通選挙にかかわる。政治の世界を支配する特権階級を批判したため不敬罪などで逮捕されたが、一貫して民権派政治家の見識を貫いた。

民権派政治家を生涯貫いた情熱の雄弁家

略年表

1890年　長崎市銀屋町に生まれる。間もなく西岡家に養子にいる
1908年　東山学院入学。東洋日の出新聞の配達や牛乳配達で自活
1912年　早稲田大学に入学
1914年　早稲田在学で都新聞に入社。革新青年会結成。寄宿舎騒動
1916年　早稲田卒業、「青年雄弁」を創刊。長崎、佐世保で政治活動展開
1917年　「青年雄弁」の記事で2度の罰金刑。早大紛争勃発
1921年　ロンドン大学留学
1924年　衆議院選挙に当選。長崎民友新聞創刊
1928年　衆議院選挙で最高点当選
1933年　長崎市議選に西岡クラブ15人当選
1935年　永野ハルと結婚
1940年　長崎民友、長崎日日両紙に合併命令
1945年　空襲で東京の自宅全焼。帰郷途中2重被爆
1951年　長崎県知事立候補当選
1958年　知事2期目に体調急変、逝去。享年68

◉参考文献
『西岡竹次郎伝』（伝記編纂刊行会1960年）
（写真すべて同書より転載）

生い立ち：長崎市銀屋町の牛島家で生まれる。牛島家は柳川藩の御用商人だったが明治政変で貧困家庭となり、竹次郎は隣家西岡家に養子に入る。養父の里熊本県海路口（うじぐち）村に移住し、14歳で長崎に戻り、牛乳配達、「東洋日の出新聞」の新聞配達などで自活して夜間学校に通う。東山学院、鎮西学院を経て21歳で早稲田大学に入る。田川大吉郎（大村出身の民権派政治家）の書生となる。

東洋日の出新聞配達員のころ

雄弁家で「革新青年会」結成：早大時代は大隈重信の選挙応援演説で熱弁をふるう。7大学弁論会で議会革新青年会を結成、議会に押しかける。26歳で早大卒業して雑誌「青年雄弁」を創刊。言論人としても頭角を現す。30歳のとき東京で「西岡クラブ」を組織し、長崎でも地盤を固め、長崎市議選では15人も当選させた（1933年）。

雄弁術にたけ聴衆を魅了した

ロンドン大学に留学、帰国後新聞を創刊：1923年に神戸から渡英、ロンドン大学で2年間学ぶ。1924年、衆議院

長崎県知事に就任し執務する西岡

平和祈念像除幕式であいさつする

解散されると、立候補のためアメリカ経由で帰国する。選挙では最高点で当選。1928年に普通選挙による衆議院議員選挙が実施されると、立候補して当選する。以後、4回当選し、婦人参政権に関する法案を議会に提出し、普通選挙制度を主張するが、弾圧に会い、逮捕、罰金を科されている。

新聞社経営に邁進:1924年に政界進出と同時に長崎市大浦で長崎民友新聞を創刊、「普通選挙」「民主主義」を説く。1936年に株式会社長崎民友新聞に組織変更、社長に就任する。軍事体制が強化されるのにつれて、言論弾圧は露骨となり、新聞の統制は厳しくなり、1940年には長崎民友新聞は長崎日々新聞との統廃合を命じられ、1942年には県下4紙の強制統合命令がだされ、長崎日報に統制される。

吉田茂首相の要請で知事立候補:1951年、61歳の西岡竹次郎は中央政界への出馬を断念。そのとき吉田茂首相の要請を請け、長崎県知事に立候補して当選する。長崎県知事を2期務め、現職知事のまま逝去した。在任中には、戦後復興事業に取り組み、離島振興法の制定、長崎大干拓構想、西海橋架橋など、かずかずの業績を残した。

ロンドン留学時

2重被爆

1945年8月6日、東京から長崎に向かう列車が広島あたりで、原爆に遭う。9日に長崎に帰りつくと、原爆で新聞社が全焼、新聞発行は不能となった。自らも被爆し、2重被爆したことになった。

西川 如見

にしかわ じょけん

1648年—1724年

天文学者・地理学者

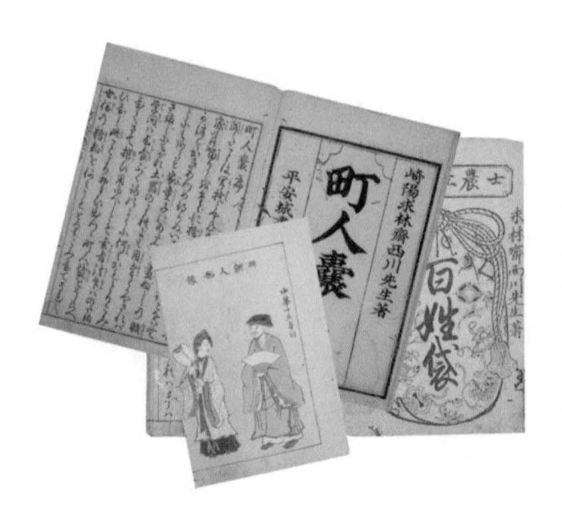

長崎の商家に生まれ、家業のかたわら儒学や天文暦学を学ぶ。天文や地形による諸現象への科学的視点を有し、地球球体説への理解も深かった。天文書や地誌、啓蒙書など幅広い著作がある。1719年には将軍徳川吉宗からの天文についての下問に応じている。

将軍吉宗と天文学問答をした長崎出身の学者

略年表

1648年　長崎の商家の長男として生まれる
1672年　25歳、儒学・天文学の師に就く
1695年　48歳、日本初の世界地誌『華夷通商考』刊行
1697年　50歳、長子正昌に家業を譲って隠居
1719年　江戸に呼ばれ、徳川吉宗の下問に答える
1719年　『町人嚢』を刊行
1721年　『百姓嚢』を刊行
1724年　死去

生い立ち:かつて貿易業や造船業などで豊かだった西川家は火災で零落、父親の急死により16歳で家督を継ぐ。忙しい家業のかたわら学問を始めたのは20歳過ぎだった。初の世界地誌『華夷通商考(かいつうしょうこう)』、中国と西洋の天文学を比較した『天文議論』、町人生活についての『町人嚢』、長崎の風物についての『長崎夜話草』など、その知見は広範囲に及ぶ。

西川家の先祖:対馬での朝鮮貿易を諦め、長崎で鉄器商売を始めた西川家初代。周辺に鍛冶屋が増え長崎市鍛冶屋町の起源となる。2代目は朱印船貿易や造船業で巨富を得たが、如見の父親の代に火災で財産を失う。6代目の如見は懸命に家業を立て直すこととなった。

西川家跡(長崎市麹屋町)

地動説以前の天文学:漢学が主流のわが国では、天文知識も自然科学よりも儒教的道徳観に囚われがちだった。如見はこの時代に、『天文議論』で地球球形説をとなえたのである。本木良栄が地動説を初めて紹介するのは、如見の死後50年後のことである。

◉参考文献
『鎖国の地球儀』(松尾龍之介　弦書房　2017)
『郷土の先覚者たち』(長崎県立図書館編　1968)

「じゃがたら文」が書かれた布地をつないだもの（後世の偽作との説が）

如見の天文地理：如見は、天空に向けていた目を地上に転じ、地理学に没頭する。鎖国の時代、海外からの情報は長崎でしか得られない。如見のまとめた海外情報が『華夷通商考』として出版され、改訂版の『増補華夷通商考』で高い評価を受けた。如見は、天文地理学者としても次々と著作を生み出していく。

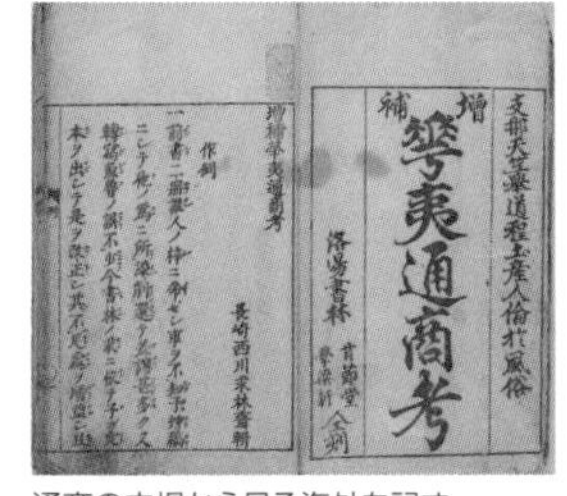
増補 華夷通商考

長崎西川求林斎輯

通商の立場から見る海外を記す

八代将軍吉宗と天文学問答：晩年の如見は、江戸に呼ばれて徳川吉宗から天文や暦に関する下問を受けている。吉宗は西洋天文学を取り入れて、暦を作り直したいと考えていた。天文方として如見の息子・正休（まさやす）も改暦の準備を進めたが、吉宗本人は完成前に逝去した。できあがった「宝暦暦（ほうれきれき）」は日蝕の予報に失敗し、さらなる改作が続けられることとなる。

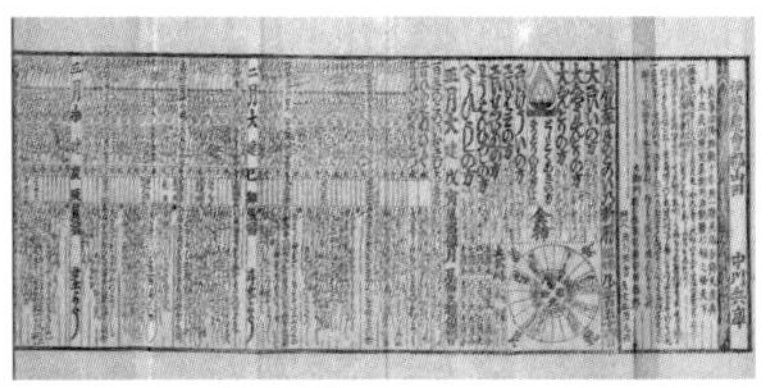
正休が関わった「宝暦暦」

じゃがたらお春とじゃがたら文

混血ゆえにジャカルタに追放された少女が送った故郷への手紙「じゃがたら文」。如見が著した『長崎夜話草』によって紹介され、「あら日本恋しや、ゆかしや、見たや、見たや」と結ばれる名文は高く評価された。が、発表後間もなくより如見による「偽作ではないか」との疑いもあり、近年ではほぼ偽作と考えられている。

Ambition
志を。
Dream
夢を。
Appreciate
感謝を。
Connect
繋がりを。
Happy
喜びを。
Innovation
革新を。

ADACHI

Who's Who Nagasaki 100

V

林京子
林道栄
ヴァリニャーノ
深澤儀太夫
福沢諭吉
福田清人
福地源一郎
プチジャン神父
プッチーニ
フルベッキ
フロイス
ブロンホフ
堀達之助
ポンペ

林 京子

はやし きょうこ

1930年—2017年

小説家

被爆から30年を経て書いた「祭りの場」でデビューし、同作品で芥川賞受賞。以後、原爆症の不安を抱えながら苦しみに耐え、死を意識し、生をみつめた作品を数多く発表し続けた。平和に生きる希望の文学の道を開拓した作家である。

（林知世氏提供）

上海・長崎に「ふたつの根っこ」をもつ芥川賞作家

略年表

1930年　長崎市東山手町に生まれ、上海に移住
1945年　帰国。長崎高等女学校3年に編入。8月9日、三菱兵器工場に学徒動員で勤務中、被爆
1975年　「祭りの場」群像新人賞、芥川賞受賞
1978年　『ギヤマン ビードロ』
1983年　『上海』で女流文学賞
1984年　『三界の家』で川端康成文学賞
1990年　『やすらかに今はねむり給え』で谷崎潤一郎賞
2000年　『長い時間をかけた人間の経験』で野間文芸賞
2006年　朝日賞
2017年　2月19日、逝去

生い立ち：長崎市に生まれ、父親の転勤で上海に転住。1945年に帰国し、長崎県立長崎高等女学校に編入。学徒動員先の三菱兵器大橋工場で被爆し、この体験をもとに「祭りの場」を書く。『ギヤマン ビードロ』、『長い時間をかけた人間の経験』など、被爆の実相と被爆後の不安や恐怖を背負った人生を描き、「人間と核は共存できない」、「命の問題である」と問いつづけた。

「上海」と「8月9日」2つの根：0歳から14歳まで暮らした上海時代と8月9日被爆後の人生、この2つを根に生きてきたと語る林。根底に一貫しているテーマは戦争の恐怖だった。

平和公園：1977年の夏、林は平和祈念式典の会場にいた。「私は三十二年前の、十一時二分の一点に精神を集中して、いま、自分が同じ地にいることだけを思おうとした。思う気持ちさえ取り払って、無心になりたかった。無心になることが、最も忠実な、八月九日に対する処しかたに思えた。」短編「無明」より。

代表作ダイジェスト：

『祭りの場・ギヤマン ビードロ』（講談社文芸文庫）：長崎での被爆体験を、抑制された内奥の祈りとして語る林京子の代表作品。芥

◉参考文献
『祭りの場・ギヤマン ビードロ』（講談社文芸文庫）
『長崎游学14 長崎文学散歩』（中島恵美子編著　長崎文献社　2019）
『林京子 人と文学 見えない恐怖の語り部として』（渡邊澄子著　長崎新聞社　2005）

画:西岡由香

川賞受賞の「祭りの場」、高校の国語教科書に掲載された「空罐」など。

『長い時間をかけた人間の経験』（**講談社文芸文庫**）：古希を目前に遍路の旅に出る私。私の半生とはいったい何であったのか。死の意味を問う表題作のほか、人間の原点を見つめる「トリニティからトリニティへ」。

『被爆を生きて』（**岩波ブックレット**）：『祭りの場』以来、被爆体験を生きることの意味を問い続けた林が、東日本大震災、福島原発事故後に、その生涯と作品を重ねて語るインタビュー集。

現代の足跡

穴弘法奥之院霊泉寺:8月9日、兵器工場から逃げ出した林は知らないおばさんについて必死に、穴弘法の参道を登る。本堂近くで学生らしい男性が被っていた鉄兜に汲んでくれた湧水を飲み、山道を越え長崎高等女学校へと向かった。
穴弘法奥之院霊泉寺　住所:長崎県長崎市江平1丁目32−1。

長崎高等女学校碑

県立長崎高等女学校は1948年に統廃合され、県立長崎東高校と長崎西高校に再編成。長崎県立東高跡地公園には記念碑が立ち、学び舎があったことを静かに物語っている。住所:長崎市下西山町16

林 道栄

はやし どうえい

1640年—1708年

唐通事・書家

中国からの渡来人と大村藩士の娘との間に生まれる。大通事（おおつうじ）、唐通事目附（とうつうじめつけ）、唐船風説定役と上り詰め、唐通事屈指の家筋となった。書や詩文を得意とし、時の長崎奉行から「官梅（かんばい）」の号を授けられている。

（長崎歴史文化博物館蔵）

隠元の教えを学問や詩作に生かした文人唐通事

略年表

1623年　林公琰、大村に来着
1640年　林公琰の長男として道栄誕生
1654年　隠元禅師、来日。少年道栄、長崎の唐僧らと交流
1663年　小通事になる
1674年　大通事に昇進
1678年　長崎奉行より「官梅」の号を得る
1697年　唐通事目附に就任
1708年　逝去

生い立ち：渡来人・林公琰（りんこうえん）と大村藩森氏の娘との間に生まれる。道栄は幼少より神童の誉れが高く、少年期には興福寺・崇福寺に入山した隠元禅師ほか著名な黄檗（おうばく）僧たちの影響を受けながら育つ。唐通事の双璧と呼ばれた先輩通事・彭城宣義（さかきのぶよし）とともに、その詩文が当時の長崎奉行・牛込忠左衛門に愛され、道栄は「官梅」、宣義は「東閣」の号を得た。書家としても、同じ唐通事の深見玄岱（げんたい）と「長崎の二妙」と称せられるほどだった。

黄檗僧と道栄少年：来日した隠元禅師が初登した興福寺から崇福寺に移って滞在した2カ月ほどの期間、16歳の道栄は熱心に参禅した。隠元は五言絶句の漢詩「示道栄信童」を贈り導いた。若き道栄は崇福寺の即非や福済寺の木庵からもよく学び、聡明さで可愛がられた。

崇福寺第一峰門

林・官梅・二木姓の事情：「林」姓の長崎奉行の着任にあたって、長崎中の林姓を改めさせられることとなった。道栄の実子の三郎兵衛は唐通事として実力もあり、林をもじって「二木」とし、道栄は奉行より賜った「官梅」として別の家柄を立てて養子に継がせた。「官梅」家はそのまま

◉参考文献
『長崎唐通事　大通事林道栄とその周辺』（林陸朗著　長崎文献社　2010）

画:マルモトイヅミ

続くが、「二木」は20数年後に「林」姓に戻された。

長崎奉行の詩宴：長崎奉行は1年の任期だったが牛込忠左衛門は5年務めた。役所や町の再編成、貿易管理など多くの業績を残し、とりわけ学問・詩文に造詣の深い人物でもあった。彼が酒宴の席で道栄と彭城宣義に贈った「官梅」「東閣」の号は、唐代の詩人・杜甫の詩の「東閣の官梅、詩興を動かし」という一節からだという。

書家道栄：道栄は能書家としても名高い。「黄檗（おうばく）の三筆」と呼ばれた隠元・木庵・即非の膝元で成長した道栄の書は、「唐様（からよう）」の斬新さで知識人たちの人気を呼んだという。篆刻（てんこく）・隷書・行書・草書どんな書体も巧みに表現した。

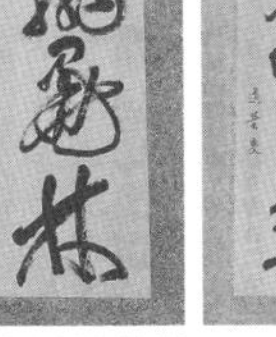

草隷大字屛風（長崎歴史文化博物館蔵）

道栄が浜

現在の長崎市松ヶ枝埠頭近辺の海岸は、防衛上の必要性から大村藩領であった。この一角を大村藩主・大村純長が道栄に与え、「道栄が浜」と呼ばれた。道栄の母親が大村藩出身だったこと、唐通事としての実力はもちろん詩文や書の名手だったことなどが考えられるが、下賜された明確な理由ははっきりしていない。

（『長崎名勝図絵』より）

ヴァリニャーノ

アレッサンドロ・ヴァリニャーノ

1539年—1606年

イエズス会東インド巡察使

イエズス会の巡察使として、インド、中国、日本を回る。現地の言語や文化を重んじ、日本では日本人司祭養成のための教育機関を立ち上げた。長崎、茂木の寄進を受けたほか、天正遣欧少年使節を企画、実行。ヨーロッパに日本人の存在を知らしめ、日本には印刷機をはじめとする文化を伝えた。

（南島原市提供）

口之津に上陸し天正遣欧使節をローマに派遣

略年表

1539年　イタリア・ナポリ王国の貴族に生まれる
　　　　パドバ大学に学ぶ
1566年　イエズス会入会
1570年　司祭叙階
1573年　東インド管区巡察使に任命される
1574年　リスボンを出航、ゴア到着
1578年　マカオ到着
1579年　日本到着
1580年　長崎と茂木の寄進を受け入れる
1581年　織田信長に謁見
1582年　天正遣欧少年使節を計画、実行
1590年　帰国した少年使節と秀吉に謁見
1598年　最後の来日
1606年　マカオで死去

生い立ち:イタリアの貴族の家に生まれ、ガリレオやコペルニクスゆかりのパドバ大学で学ぶ。イエズス会に入会して司祭となり、その人柄と優秀さから、各地に赴いて布教の指導を行う巡察使となる。インド、中国ののち、日本に赴任。最初の上陸地は口之津（くちのつ）。

しなやかな布教方針:ヴァリニャーノが来日したのは、ザビエルのキリスト教伝来から30年後の1579年。当時は日本人司祭がいないばかりか、日本人を見下すような宣教師もいた。現地の言語、文化との融和を重視していたヴァリニャーノは、日本での布教も「現地主義」を取る。「長崎と茂木の寄進」を受けたのも、そのひとつの表れであろう。

数々の教育機関を開く:教育に力を入れたのもヴァリニャーノの布教の特徴だった。日本人司祭を養成するために、修練院ノビシャド、高等教育機関のコレジヨ、さらに裾野を広げるため、初等教育機関であるセミナリヨを開く。キリスト教を取り巻く情勢により、迫害を避けて、各地への移転を繰り返したが、司祭や修道士など、後の指導者が多く育った。

遣欧使節を計画・実行:ヨーロッパに日本人の存在とその信仰を示し、日本にも広い見聞をもたらすため、天正遣欧少年使節を立案、実行した。使節は各国で大歓迎を受け

●参考文献
『日本巡察記』（平凡社東洋文庫）
『クアトロ・ラガッツイ』（若桑みどり／集英社）
『天正遣欧使節　千々石ミゲルの墓石発見』（大石一久／長崎文献社）

少年使節の帰国時は「伴天連追放令」が出されていたので秀吉には「インド副王の使い」として謁見した　画:西岡由香

る。また、活版印刷機を持ち帰ったことで、日本語や教理の教材が制作され、キリシタンの信仰の支えとなった。

天正遣欧少年使節とその人生

1582年、伊東マンショ、千々石ミゲル、原マルチノ、中浦ジュリアンの4人が、ローマに向けて船出した。12～13歳だった4人の少年は、厳しい航海ののち、ローマ教皇やスペイン国王との謁見を果たし、8年後に帰国。マンショは禁教前に亡くなったが、マルチノは禁教令によりマカオに追放、ジュリアンは長い潜伏生活ののち殉教、ミゲルは「使節唯一の棄教者」とされたが、近年の調査により、信仰は守っていた可能性がある。それぞれの人生に、日本におけるキリスト教のありかたが映し出されているようだ。

現代の足跡

最初の上陸地である口之津には、イタリアの出身地から贈られた「ヴァリニャーノ像」があるほか、布教の方針などを話し合う宣教師会議が行われた「伝　口之津教会跡」「南蛮船来航の地」の碑が立つ。

有馬セミナリヨ跡碑

伝　口之津教会跡（下妻撮影）

深澤 儀太夫

ふかざわ ぎだゆう

1584年—1663年

どんな人 捕鯨家・社会事業に献金

江戸前期に活躍した捕鯨業者、「鯨大尽」。鯨漁で得た莫大な利益を、大村藩への献金や公共事業に注ぎ込んだ。中でも田畑のために初代から3代目儀太夫までが築いた堤防は巨大な野岳湖のほかにも多数あり、今もなお恵みをもたらしつづけている。

〈初代〉

〈2代目〉

（個人蔵・大村市歴史資料館寄託）

鯨漁で得た利益で堤防を作り大村藩を潤した

略年表

1584年　武雄に生まれ、のちに波佐見に移り住む

1615年頃　勝清30歳前後、紀伊国で捕鯨を学び帰郷後鯨突漁を始める

1625年　勝清、突組を組織

1650年　勝清、円融寺建立

1656年　2代目勝幸、突組を組織

1661年　壱岐龍造寺建立。野岳村の堤工事着工

1663年　野岳村大堤完成。初代勝清逝去

1678年　2代目勝幸、網組を組織

1826年　深澤儀平次勝徳、最後の深澤組を廃止

生い立ち:初代の勝清は現在の長崎県波佐見(はさみ)町に育ち、武者修行に出た紀伊国で銛(もり)による捕鯨法を学ぶ。中尾次郎左衛門、字(あざな)を儀太夫、のちに大村藩主大村純長より深澤の姓をたまわる。九州初の鯨組を作り、多くの組員を統制して対馬・平戸・五島など肥前国周辺の海を巡った。鯨漁で大成功を収めると、私財を投じて灌漑(かんがい)事業、新田開発、寺社への寄進などを進めた。堤の建造は弟である2代目、その息子の3代目に受け継がれ、鯨漁の深澤組はおよそ200年継続した。

深澤組の鯨漁:紀州を訪れた初代儀太夫は突いて仕止める珍しい鯨漁に魅せられ、弟子入りして技術を身に付けた。3メートルにも及ぶ長ものの刃物を使って鯨を取り囲む勢子舟(せこぶね)と、鯨をつり上げて運ぶ持双舟(もっそうぶね)30隻ほどがひとつの組になる。ほぼ鯨に手付かずだった当時の海で、肥前を中心とした漁場で年間数百頭の鯨を捕獲した。

（『勇魚取絵詞』より）

◉参考文献

『大村史談　第45号』（大村史談会 1994）

『郷土の先覚者たち』（長崎県立図書館 1968）

人造とは思えない規模の野岳湖（山下撮影）

野岳大堤の大工事:現在キャンプ地として人気の大村市野岳湖公園は、もともと晩年の初代儀太夫が莫大な費用を投じて造ったため池だ。着工から完成まで1年7カ月、鍬で掘りモッコで運び、土を固めて石垣を組み……人馬による作業であった。周囲4キロメートル容量140万トンの大堤のおかげで、周辺の農地は水害も干害も無縁となった。

新田開発、堤構築事業:深澤家の桝(ます)型の家紋は「桝いっぱいに金貨が入っている」意味だともいわれ、鯨漁で得た莫大な財産を惜しげなく公共のために注ぎ込んだ。初代儀太夫の遺志を継ぐように、2代目と3代目も新田開発のためのため池を造っている。大村市から東彼杵町にかけて全部で10カ所も見られ、東彼杵町の三井木場堤(みいこばつつみ)には「深澤三代顕彰碑」がある。

深澤家家紋（深澤儀太夫記念館展示）

旧円融寺石庭

初代儀太夫の寄進を受け、大村藩主大村純長により創建された円融寺。明治期に廃され、現在は大村護国神社となっているが、斜面を利用した枯山水の石庭が当時の様子を伝えている。石庭前には、明治維新で活躍した大村藩勤王三十七士の石碑が建つ。

旧円融時石庭

福沢 諭吉

ふくざわ ゆきち

1835年―1901年

どんな人　思想家・慶応義塾創立者

人間の自由・平等・権利を説く『学問のすゝめ』はあまりに有名。蘭学を修めたのち英語を身に付け、幕府使節として3回欧米へ渡航した。幕末から明治にかけてさまざまな著作を通じて人々を啓蒙し、慶応義塾を創立した教育者としての功績も大きい。

長崎游学で国際的な視野を得て民権思想家に

略年表

1835年　中津藩大阪屋敷で誕生。父の急逝で一家は中津に戻る
1854年　蘭学を志して長崎に出る
1855年　緒方洪庵の適塾に入門、2年後塾長に
1859年　横浜を見物、蘭語から英語に転向する
1860年　軍艦咸臨丸でサンフランシスコへ
1862年　幕府使節の随員として洋行
1866年　『西洋事情・初編』以降著作の発表が相次ぐ
1867年　随員として再びアメリカへ
1868年　私塾を慶應義塾に改称
1872年　『学問のすゝめ・初編』
1898年　『福翁自伝』脱稿
1901年　脳溢血にて68歳で死去
1984年　1万円紙幣の肖像に採用

生い立ち:豊後中津藩下級武士の父とは幼時に死別、身分意識の強い地元に反発を感じながら育った。19歳で長崎へ游学し、翌年には大阪の緒方洪庵の蘭学塾で学ぶ。開国の機運の中に英語を独学で習得し、幕臣として咸臨丸での渡米や欧州歴訪を経験。『西洋事情』で海外の最新情報を紹介するなど、多数の著作で近代民主主義国家への国民の意識改革を促した。教育分野にも力を入れ、身分の貴賤なく洋学を学ぶ諭吉の私塾「慶應義塾」は慶應義塾大学の前身となった。

「諭吉」の名と父・百助:豊前国中津藩の大阪蔵屋敷勤務だった父・百助は漢学者でもあった。百助が長年望んでいた漢籍『上諭条例』を入手した夜に次男が誕生し、喜んで「諭吉」と名付けた。その後百助は急逝し、一家は中津へ戻り困窮することとなる。一説には「諭吉」は幼名で、それにも関わらず生涯その名で通したともいわれる。

光永寺門前にある福沢諭吉逗留記念碑

中津を飛び出して長崎へ:諭吉は「門閥制度は親の敵」と、身分格差の強い中津藩を嫌っていた。黒船来航の翌年、19歳の諭吉は長崎を目

◉参考文献
『福沢諭吉歴史散歩』(加藤三明ほか　慶應義塾大学出版会　2012)
慶應義塾大学公式HP
中津市HP「慈愛のすゝめ」

画:木村瞳子

指した。高島秋帆が確立した西洋砲術「高島流砲術」を原典から学ぶための蘭語習得が目的だった。当初は同じく游学中の中津藩家老子息・奥平壱岐の縁で、中島川沿いの光永寺に逗留した。

1年で終わった長崎游学:光永寺から、長崎地役人で砲術家の山本物次郎宅の居候へ。蘭語を学び、物次郎宅を訪れる砲術関連の客人の対応、息子の家庭教師や下男の手伝い、ペットの世話までこなした。優秀で周囲に可愛がられた諭吉は、藩主の息子奥平壱岐に妬まれて1年で長崎を離れて大阪へうつることとなる。諭吉がくらした山本家跡には使った井戸が残り、付近の諏訪神社参道の祓戸神社には石像も建てられている。

山本物次郎宅跡にも碑が立つ

諏訪神社参道の祓戸（はらいど）神社脇に立つ諭吉の石像

蘭学塾「適塾」

長崎を出た諭吉は、大阪で緒方洪庵の蘭学塾「適塾」に入る。貴重な蘭語辞書を何人もの塾生の間で取り合い奪い合いながら、寝食を忘れ切磋琢磨する充実した日々だった。塾頭を務めるまでになった諭吉は、やがて時代の変化を痛感し、英学・英語習得に励むこととなる。

適塾跡

福田 清人

ふくだ きよと

1904年―1995年

どんな人　児童文学者

代表作『春の目玉』で国際アンデルセン賞を受賞した児童文学者。1980年代まで児童文学者としての活動は、日本の児童文学界の発展に尽力した。生まれ故郷の波佐見町を生涯ふるさととして意識した。波佐見町には胸像と碑文が建てられている。長崎県内で校歌を作詞した学校は約30校にのぼる。

児童文学の発展に尽くした波佐見出身の作家

略年表

1904年　11月29日、波佐見宿郷鹿山で生まれる。医師の父の勤務の関係で少年時代を土井首村で過ごし、大村中学から福岡高校、東大へ進み、文学部を卒業

1929年　第一書房に入社、「新思潮」の編集に参加。戦中満州にわたり文芸懇話会を主催

1947年　『岬の少年たち』を講談社から出し児童文学創作活動にいる

1962年　日本近代文学館を設立し、常任理事に就任

1975年　日本児童文芸協会会長に就任。大学の教壇で文学講座を担当。日本大学、立教大学教授、実践女子大学教授、立教女子学院教授

1995年　6月13日、死去、享年90

生い立ち:長崎県東彼杵郡波佐見町宿郷鹿山に生まれる。父は医者。波佐見尋常小学校2年生のときに父の転勤で、長崎市郊外の土井首村に4年間住む。多感な少年期の異郷での暮らしが『春の目玉』などのテーマになっている。旧制大村中学(現大村高校)から福岡高校を経て東大に進み、出版社勤務を経験。戦後、『岬の少年たち』を出版、児童文学の創作活動に専念する。

『春の目玉』:<ぐっと大きく目をみひらいて　すべてのものをよく見よう。君の目玉にうつるものを　よく見分けてぐんぐんのびていこう。君の美しい心は君のよくすんだ目玉に春の光のように現れる。>

1963年に講談社から刊行された「長編少年少女小説」の『春の目玉』は、福田の児童文学の代表作で、『秋の目玉』、『暁の目玉』とつづき「目玉3部作」といわれている。

人脈:諫早出身の伊東静雄は大村中学の後輩にあたる。東大の同級生に堀辰雄、臼井吉見がいた。

波佐見町を愛した:<波佐見町宿郷738番地。故郷を離れた人には、いろいろな理由からであろうが、戸籍を現住所に移してしまう人がある。しかし私は移さない。たとえ家はなく、土地を失われても、波佐見の宿に原籍があるとい

波佐見町は福田清人の生家跡を記念館にして公開している

うことは、強く私に故郷があると実感を与えるからである>

　福田は生まれ故郷の波佐見町を愛した。波佐見町の鬼木棚田の見える母の実家は5歳まで暮らした。現在、ここは資料館として公開されている。

校歌作詞の学校の数は30校にも：母校大村中学の後身長崎県立大村高校の校歌のほか、校歌を作詞した学校は数多い。波佐見東小学校、波佐見中学校、土井首小学校、土井首中学校、小島中学校、渕中学校、西大村中学校、長崎工業高校、大村城南高校、長崎南高校、波佐見高校など長崎県内30校にものぼる。

波佐見総合文化会館に立つ胸像

現代の足跡

長崎市諏訪神社には、<岬道　おくんち詣で　思ひ出し>と刻んだ福田の句碑が立つ。故郷波佐見町には波佐見総合文化会館に福田の胸像があり、波佐見町総合文化会館（ウエイブホール）に、多数の遺品や原稿、受賞メダルなどが展示されている。

棚田が美しい福田清人のふるさと

福地 源一郎

ふくち げんいちろう

1841年—1906年

ジャーナリスト・劇作家

政府批判の新聞を発刊し投獄されるが、語学力を買われ大蔵省に勤務。東京日日新聞を主宰し、新聞記者として言論界で大きな影響力を持った。小説や戯曲の執筆でも活躍、多くの著作を残した。「福地桜痴」のペンネームで多くの時事評論を残している。

欧米で新聞、演劇に目覚め新時代を疾走した

略年表

1841年　3月23日、長崎で生まれる
1861年　通訳として文久遣欧使節に同行
1865年　幕府使節として洋行、新聞や演劇に触れ影響を受ける
1868年　「江湖新聞」発刊、新政府を批判。新聞は廃刊、福地は逮捕
1870年　大蔵省入省
1874年　「東京日日新聞」入社、2年後社長へ
1877年　西南戦争に従軍記者として参陣
1882年　立憲帝政党を結成、翌年解党
1888年　「東京日日新聞」退社。小説家・劇作家として活動
1900年　「やまと新聞」顧問、多くの論説、小説を発表
1903年　衆議院議員選挙に出馬、当選
1906年　1月4日、逝去

生い立ち:長崎で儒医の長男として誕生、儒学に続き蘭学を学び、18歳で江戸へ出て英学を学ぶ。幕府使節として渡欧した先でジャーナリズムに刺激を受け、維新期に発行した「江湖新聞」で投獄された。その後も「東京日日新聞」を主宰して言論界をリードする。演劇改良運動に関わって歌舞伎台本を手がけ、政治小説・歴史小説にも手を染めた。晩年には衆議院議員となるが、在職中に死去。

神童の呼び声高く:福地は幼い頃より儒学を学び、その優秀さは群を抜いていた。11～12歳に受験した学問所「長崎聖堂」の学力試験「素読吟味」「学問吟味」でトップクラスで合格して褒美を受けるほどだった。

長崎の崇福寺通りにある生誕の地碑

阿蘭陀通詞時代:元服後の16歳で蘭学を始め、翌年阿蘭陀通詞・名村八右衛門の養子に入って稽古通詞となった。海軍伝習所が建設を開始したばかりの長崎製鉄所で、条約書などの翻訳に従事している。しかし程なく職を辞し、養子先とも離縁。18歳の福地は、江戸に回送される咸臨丸に艦長の従者として乗り込み長崎を離れた。

◉参考文献
『福地桜痴』(山田俊治　ミネルヴァ書房　2020)

1889年に完成した初代の歌舞伎座(松竹HPより)

新聞や演劇に触れた欧州体験:横浜開港に伴い多くの通詞が必要とされる中、英語を学んだ福地は幕府のお雇い通詞となった。そして1861年遣欧使節団に通訳として随行する。22歳の若い感性に現地のジャーナリズムや演劇は刺激的だった。使節団には2度目の海外となる29歳の福沢諭吉もいた。ロンドン万国博覧会を視察する福地ら使節団は英国でも報道されている。

ジャーナリストとして:1868年福地は「江湖新聞」を発行して「政権は幕府から薩長に移動したにすぎない。維新の目的が果たされたといえるのか」と述べた。新聞は発禁処分となり、本人は逮捕の憂き目を見る。その後も新聞発行に関わり続け、社説欄を設けて持論を展開したり、西南戦争の従軍記者を務めたりと活躍した。

演劇への傾倒、歌舞伎座を創設:欧州の演劇に感銘を受けた福地は、当時低俗なものと扱われていた歌舞伎を改良するため、自ら台本を手掛けて歌舞伎座を創設する。興行的には厳しいものであった。そのほか歌舞伎小説等の執筆、政界参入を試みるなど多方面に活動したが、「書く」姿勢は一貫しており、幼少期から多くの言葉を書き残して今に伝えている。

ペンネーム「桜痴」

20歳の福地が吉原の妓女・桜路(さくらじ)に夢中になる姿に友人たちが付けたあだ名「桜痴」が元となった。

現代の足跡

墓は東京都台東区の谷中墓地にある。かなり広い敷地に「福地源一郎之墓」と刻まれた高い墓碑が建てられている。

プチジャン神父

ベルナール・タデー・プチジャン
1829年—1884年

どんな人　フランス人神父

250年の迫害を越えて、大浦天主堂での「信徒発見」に立ち会ったフランス人神父。禁教が解かれた後は、日本の宣教体制の強化に取り組み、1884年の逝去時の日本のキリスト教信者は30,230人に達していた。

「信徒発見」の奇跡に導かれた神父、長崎に眠る

略年表

1829年　フランス ブランジ村に生まれる
1854年　司祭叙階
1859年　パリ外国宣教会入会
1862年　日本の横浜に上陸
1864年　長崎へ赴任
1865年　大浦天主堂完成、信徒発見
1866年　日本の司教に任命される
1868年　フランスへ一時帰国後、ド・ロ神父を伴い長崎へ
1870年　ローマより帰国後、流配された浦上信徒の釈放に奔走
1873年　禁教令が解かれると日本人司祭の育成、教理書など出版物の翻訳に尽力
1876年　日本の南半分を担当する南緯使徒座代理区長に任命される
1884年　長崎・大浦で死去。大浦天主堂床下に埋葬される

◉参考文献
『旅する長崎学4』（長崎文献社編 2016年初版）
『大浦天主堂物語』（脇田安大著、聖母の騎士社、2016年）
『パリ外国宣教会　宣教師たちの軌跡』（脇田安大、長崎の教会群情報センター、2018年）

生い立ち:フランスのブランジー村に船大工の子に生まれる。パリ外国宣教会に入会し、日本への宣教を志す。長崎で殉教した26人が列聖された1862年、横浜から日本初上陸。翌年長崎に到着。信徒発見の翌年、1866年に日本の司教に任命される。1884年に肋膜炎と心臓病を併発し55歳で逝去。大浦天主堂の地下に眠る。

大浦天主堂を完成させる:帰国したフューレ神父の後を引き継ぎ、プチジャン神父は教会を完成させる。1865年2月19日、献堂式が執り行われ「日本二十六聖殉教者堂」と命名された大浦天主堂は、殉教の丘を向いて建てられ、「天主堂」と日本語の文字が掲げられた。日本人は「ふらんす寺」と呼んで見物に訪れた。

奇跡の信徒発見:献堂式から1カ月後の1865年3月17日、堂内にいたプチジャン神父は、浦上村の男女から信仰の告白を受ける。「サンタ・マリアの御像はどこ?」と。弾圧のもとひそかに信仰を受け継いできたキリシタンの子孫たちだった。これが「信徒発見」の瞬

いまも大浦天主堂にあるマリア像

浦上の信徒がプチジャン神父に告白した　　画:西岡由香

間だった。しかしまだ禁教は解けておらず、明治の大弾圧「浦上四番崩れ」につながっていく。

日本人の司祭を誕生させる:信徒発見後、いまだ禁教下にあったが、プチジャン神父は命懸けで信徒たちに正しい教理を教え、ミサや洗礼を行った。大浦の司祭館の屋根裏に隠し部屋を作り、日本人神学生の育成に着手する。浦上四番崩れが迫ったときは学生たちをマレー半島に避難させた。禁教令が解かれると「長崎ラテン学校」を設立。1882年に初めて日本人司祭3人が誕生したのに続いて多くの司祭が輩出された。

現代の足跡

55歳で逝去したプチジャン神父のなきがらは、生前の遺志により大浦天主堂内陣の床下に埋葬された。そこは信徒発見の瞬間に祈りをささげていた場所の地下であり、神父はいまもその地で眠りについている。

信徒発見後の悲劇

信徒発見の2年後、1867年に起こった「浦上四番崩れ」は過去最大の大弾圧となった。浦上地区でひそかに宣教師の教えを受けていた秘密礼拝堂に役人が踏み込み、一斉検挙される。翌年、江戸幕府から政権を引き継いだ明治政府は「浦上一村総流配」を命じた。中心人物114人は萩、津和野、福山に送られ、ほかの浦上信徒も全員各地に流配された。これを信徒らは「旅」と呼び、浦上村3394人のうち600人以上が亡くなった。禁教令が解かれ「旅」が終わり、信徒らが帰ってきたのは1873年であった。

プッチーニ

ジャコモ・プッチーニ
1858年—1924年

音楽家

イタリアを代表するオペラの作曲家。長崎の東山手を舞台にしたオペラ「蝶々夫人」で歌われるアリア「ある晴れた日に」の美しいメロディはあまりにも有名。初演から百年以上たった現在も世界各国で上演されている。

グラバー園にあるプッチーニ像

「蝶々夫人」のオペラ歌曲は長崎の名を広めた

略年表

1858年　イタリアのルッカに生まれる
1873年　大聖堂のオルガン奏者になり、作曲も始める。
1880年　ミラノの王立音楽院入学
1893年　トリノで「マノン・レスコー」を上演
1896年　トリノで「ラ・ボエーム」を上演
1900年　ロンドンで「蝶々夫人」を観る。終演後楽屋のベラスコを訪ねてオペラ化の承諾を得る
1904年　「蝶々夫人」初演大失敗。5月再上演、大成功をおさめた
1910年　ニューヨークのメトロポリタン歌劇場で「西部の娘」を上演
1921年　「トゥーランドット」の作曲を開始
1924年　喉頭癌のためブリュッセルで死去。享年65
1926年　トスカニーニの指揮で「トゥーランドット」がスカラ座で上演される

●参考文献
『プッチーニのすべて』宮澤縦一著（芸術現代社）1990
『魅惑のオペラ 8』小学館／2007年

生い立ち:1858年イタリアのトスカーナ地方ルッカに生まれる。父の後を継いで大聖堂の楽長になるためにオルガンを学んでいたが、ピサで観たヴェルディの「アイーダ」に感動してオペラの作曲家を目指すようになる。ミラノの音楽院を卒業後オペラの作品を次々に発表した。3作目に当たる「マノン・レスコー」の大成功によりヴェルディの後継者と目されるようになった。

名作オペラを連発:台本作家のジャコーザ、イッリカと組んで「ラ・ボエーム」「トスカ」「蝶々夫人」とヒット作を連発、これらは「プッチーニの傑作3大オペラ」と称されている。「トゥーランドット」の制作途中に喉頭癌が発覚。1924年入院先のブリュッセルで死去、65歳だった。

ピンカートンのモデルはロシア人だった?:鎮西学館（後の鎮西学院）の校長アーヴィン・コレル夫妻は東山手にある公舎に暮らしていた。妻は出入りの商人から気の毒な娘の話を聞き、帰国した際に弟のジョン・ルサー・ロングに伝えた。この実話を元にロングが小説を書いて雑誌に「蝶々夫人」を発表、エキゾチックな内容が受けて評判になる。ロングによれば娘を捨てた海軍の士官はロシア人だったそうだ。小説でアメリカ人として描いたところ「アメリカの海軍にはピンカートンのようなものはいない」と苦情の手

ロンドンで観た戯曲に感動。作曲を思いたつ　　画:木村瞳子

紙がたくさん来て困ったという。

「蝶々夫人」がブロードウェイで戯曲化:小説を読んだ人気劇作家のベラスコがロングの協力も得て戯曲化。ブロードウェイで上演したところ大評判になり、三カ月後にロンドンでも公演した。「トスカ」公演の演出でたまたまロンドンに来ていたプッチーニが評判を聞きつけて観劇。英語が苦手で細かいセリフの意味がわからなかったにもかかわらず大いに感動したプッチーニは、その足で楽屋へ出向いてベラスコを抱きしめ泣きながらオペラ化の承諾を求めた。

グラバー園にある三浦環像

プッチーニが一番愛したヒロイン:プッチーニがオペラ化を決心した最大の理由は、蝶々のヒロイン像だったと言われている。幸薄く従順で一途な女性がプッチーニは大好きだった。

現代の足跡

グラバー園ではプッチーニと三浦環の像を見ることができる。三浦環は世界各国で2000回蝶々夫人を演じた日本人で最初の国際的なプリマドンナ。プッチーニから「理想的なチョーチョーさん」と絶賛された。

フルベッキ

グイド・フルベッキ

1830年—1898年

宣教師・神学者・法学者

宣教師として来日したが、長崎で教師となり、語学をはじめ近代西洋の学問を教え、学生たちに大きな影響を与えた。教え子には大隈重信、副島種臣、江藤新平、伊藤博文、大久保利通など、明治の指導者として飛躍する人材がいる。明治政府の要請で東京に移ると、近代国家の法律や教育制度の整備に貢献した。

英語教育で明治日本の近代化に貢献した宣教師

生い立ち:オランダのザイストで、父カールと母マリアの第6子として生まれる。ユトレヒトの工業学校で機械工学を修めたのち22歳で渡米し土木技師として働いたが、コレラにかかり重症の床の中で、宣教師となってキリスト教の伝道に生きることを誓う。宣教師になったフルベッキは長崎へ。オランダ語、英語、ドイツ語、フランス語に加えて来日後に日本語も猛勉強し、5カ国語を話すことができた。

幕末の長崎で英学を教える:フルベッキが来日した1859年は、まだ禁教令が敷かれ布教は許されなかったが、当時の長崎には最先端の洋学を学ぼうと各藩の英傑が集まっていた。フルベッキは幕府が設置した洋学所(のち語学所、済美館、広運館と改称)の教授として招かれると、英語、ドイツ語のほか洋算、歴史、地理、物理、経済なども教えた。学生は100人を超えたという。そのほか佐賀藩が長崎に設立した英学校「蕃学稽古所(致遠館)」では、後に明治政府の元勲となる大隈重信、副島種臣らが英語や法律を学んだ。この英学校には岩倉具視や横井小楠の甥なども在籍している。

岩倉使節団の構想となる意見書を提出:1869年、フルベッキは日本の近代化に関する意見書「ブリーフ・スケッチ」をかつての長崎時代の教え子、大隈重信に提出する。

略年表

1830年　1月23日、オランダ、ユトレヒト州のザイストに生まれる
1852年　オランダを離れ渡米
1855年　ニューヨークの神学校に入学
1859年　オランダ改革派教会の牧師に任命され、長崎へ
1863年　上海へ行き、「美華書館」のガンブルに印刷技術を学び長崎に戻る
1864年　長崎の済美館(旧英語伝習所)で教える
1868年　長崎の佐賀藩校蕃学稽古所(のち致遠館)の教師となる
1869年　長崎を発ち東京へ。大隈重信にブリーフ・スケッチを提出
1873年　新政府の法律顧問を務める
1877年　勲三等旭日章を授与。「東京一致神学校」(明治学院の前身)で教える
1887年　明治学院神学部教授となる
1891年　外務省から国内に旅行・居住できる特許状が交付される
1898年　3月10日、東京赤坂の自宅で死去

◉参考文献
『新訳考証　日本のフルベッキ』(村瀬寿代　著、2003年、洋学堂書店)

教え子たちとの記念写真の一枚　小川一馬撮影

内容は「欧米諸国に使節を派遣して各国との友好を深め、不平等条約の改正を図り、同時に政治、法律、司法、外交、教育、宗教の諸般にわたる各国の制度、行政、施策を研究する」(『フルベッキ書簡集』)ことだった。この意見書をもとに、1871年の岩倉使節団の欧米視察が実現した。

新政府の顧問となり近代国家づくりに尽力:明治になると、新政府の要請で開成学校(のち大学南校、現在の東京大学の前身)の語学、学術の教師となる。教育顧問として学校制度について意見を述べるほか、法律顧問も務め、明治初めの日本の近代化政策の推進に大きな働きを残した。特に語学・学術に対する功績が評価され、1877年には勲三等旭日章を受章している。

現代の足跡

フルベッキが長崎に到着した2カ月半後の1860年1月26日、待望の長女が誕生。エマ・ジャポニカ・フルベッキと名付けられたが、わずか1週間で亡くなってしまう。日本で初めて西洋人女性が生んだ赤ちゃんは、稲佐悟真寺国際墓地に今も眠る。

高杉晋作とフルベッキ

1862年4月、高杉晋作は長崎に来て崇福寺に住んでいたフルベッキを訪ねている。『長崎淹流雑録』という記録にそのときの印象記を残している。「長崎在留3年のフルベッキ先生は、日本語をよく理解し、すこぶる話が通じる。しかし、禁教下にあってキリスト教宣教の事実をつかんだ」と記している。この年の年末、高杉は江戸・御殿山の英国公使館の焼き討ちを指揮して、外国人排斥の攘夷活動を活発化させる。フルベッキ一家は、初めに出島に避難し、さらには上海に渡航避難している。高杉の訪問は、その予告だったのかもしれない。

フロイス

ルイス・フロイス
1532年—1597年

どんな人　イエズス会宣教師

インドのゴアでザビエルと出会い、日本への思いを抱く。信長や秀吉とも渡り合い、日本布教を発展させた。文章に長け、書記や年報の執筆、さらには日本の布教史執筆を任じられ、大著『日本史』に結実。長崎で二十六聖人の殉教を目撃し、その記録を書き終えて帰天した。

横瀬浦のフロイス像

二十六聖人処刑を目撃し、大著『日本史』を残す

略年表

1532年　ポルトガル・リスボンに生まれる
1548年　イエズス会入会。ゴアでザビエルと出会う
1561年　ゴアで司祭叙階
1563年　横瀬浦に上陸
1565年　京都に入る
1569年　織田信長に布教を許可される
1580年　ヴァリニャーノの通訳を務める
1583年　イエズス会の活動記録作成を命じられる
1590年　天正遣欧少年使節とともに秀吉に謁見
1592年　マカオに渡る
1595年　長崎に戻り「日本史」に専念
1597年　7月8日、二十六聖人の殉教記録を書き上げ、死去

生い立ち:ポルトガル・リスボン生まれ。16歳でイエズス会入会。インドのゴアに渡り、ザビエルと出会う。1561年にゴアで司祭に叙階され、その文才から管区長の書記となる。1563年に初来日。大村純忠が開いた横瀬浦に上陸し、五畿内、九州へと赴いた。

フロイスが上陸した横瀬浦(下妻撮影)

要人たちと渡り合う:フロイスは、通常の布教活動のほか、日本語や風俗習慣、仏教の教義も積極的に学び、持ち前の才能も加えて、秀吉など当時の要人たちとも渡り合った。信長からは布教の許可を取り付け、名の知れた仏僧を論破したこともある。

『日本史』執筆:文筆に優れたことから、ザビエル来日以来の教会史作成を命じられた。布教に関することだけでなく、当時の社会情勢なども描き込み、10年がかりの大著となったが、上役のヴァリニャーノからはローマに送る許可が下りなかった。フロイスの死後も原本が焼失するなどしたが、現在は写本をもとにした日本語訳を読むことができる。

◉参考文献
『日本史』(中公文庫)　『ヨーロッパ文化と日本文化』(岩波文庫)
『日本二十六聖人殉教記』(聖母文庫)
『フロイスの見た戦国日本』(川崎桃太／中公文庫)

数々の記録を書き残した　　画:西岡由香

長崎で帰天:伴天連追放令以降は畿内を離れ、長崎で『日本史』を書き上げた。天正遣欧少年使節が秀吉に謁見する際は通訳を務め、1595年からは長崎に滞在していたが、1597年、二十六聖人の殉教を目撃、その記録を書き上げたのち、岬の教会のコレジオで没した。

西坂公園にある記念碑(下妻撮影)

二十六聖人殉教

1596年、土佐にスペイン船・サン・フェリペ号が漂着。船にはフランシスコ会宣教師が乗っていた。秀吉は乗組員がほのめかしたという「宣教からの領土征服」への懸念や積荷を没収する口実から、京都や大坂の宣教師や信者の捕縛と処刑を命じる。処刑の地は、キリシタンへの見せしめとして長崎が選ばれた。極寒の道を一カ月歩き通してきた二十六人の殉教を、フロイスをはじめ多くの人々が見守った。

(下妻撮影)

現代の足跡

フロイス通り

上陸の地である横瀬浦では「フロイス像」が手を差し伸べる。記念碑が立つ西坂は、「二十六聖人」が殉教した場所だ。長崎市で、かつての「ミゼリコルディア」と「岬の教会」を結ぶ道は「フロイス通り」となっている。万才町の裁判所などのある通り。

ブロンホフ

ヤン・コック・ブロンホフ
1779年—1853年

出島商館長

オランダがフランスに占領されていた混乱の時代に商館長ドゥーフのもとで働き、のちに母国独立の知らせを持ってドゥーフの後任商館長として再び長崎へ着任。中断していた日蘭貿易の復興に努めた。日本初の英和辞書編纂を指導し、初めて妻子を伴って出島に着任したお騒がせカピタンとしても知られる。

妻子を連れて出島に着任したカピタン、ラクダも

略年表

1779年　8月9日、オランダのアムステルダムで生まれる
1808年　長崎でフェートン号事件起こる
1809年　出島オランダ商館の荷倉役として着任
1811年　日本初の英学書『諳厄利亜国語和解』編纂
1812年　ラッフルズのイギリス船2隻がオランダ船を装って長崎入港
1813年　ジャワへ行きラッフルズと交渉時に捕らえられイギリスへ送還
1814年　指導編纂した英和辞書『諳厄利亜語林大成』完成
1815年　釈放されオランダへ帰国
1817年　妻子を伴って再来日、商館長に。2カ月後に妻子に帰国命令
1823年　商館長の任を終え帰還
1853年　10月13日、オランダのアーメルスフォールトで死去

生い立ち:1779年オランダ、アムステルダムで生まれる。ジャワで出島オランダ商館の荷倉役に任命され1809年長崎へ。1813、14年にラッフルズ率いるイギリス船が出島の引き渡しを要求して長崎へ来航したとき、商館長ドゥーフの代理でジャワに交渉に向かったブロンホフは捕らえられる。このころ母国オランダはフランスに併合され事実上消滅していた。1815年にネーデルランド王国が独立すると、釈放されて本国へ送還。その後、出島オランダ商館長に任命され、2度目の来日を果たす。6年間の任期を終えて帰国後は、再婚して美しい田園地帯に館を構え余生を送った。

日本初の英和辞書の編纂に協力:ブロンホフが出島に初着任する前年に、長崎港では「フェートン号事件」が起こっている。その影響で幕府から英語習得を命じられた阿蘭陀通詞たちを指導しながら、日本初の英和辞書の編纂に協力した。『諳厄利亜国語和解（あんげりあこくごわげ）』は英単語と会話にカタカナで発音を記して和訳した英学書で、『諳厄利亜語林大成』は英単語の脇にカタカナで発音を記し英単語に相当するオランダ語を添えて、簡単な訳を付けたもの。オランダ語なまりが強く実用性はいまひとつだったという。

◉参考文献
『阿蘭陀商館物語』（宮永孝 著、1986年、筑摩書房）

出島に上陸した家族を描いた記録画　　川原慶賀（長崎歴史文化博物館蔵）

初めて日本の土を踏んだ西洋人女性:2度目の出島着任に、ブロンホフは新婚の妻ティティア・ベルフスマと2歳の息子のほか乳母、女中を伴って来日。出島に入れるのは男性のみとの決まりだったが、特例で上陸許可がでた。西洋人女性が日本に上陸したのは歴史上初。出島滞在の願いもむなしく、ティティアは2カ月後の船で故国に帰され、夫の帰国前に亡くなった。新婚夫婦の永久の別れとなった。西洋人女性は、当時は珍らしく、木版画や古賀人形で長崎土産にもなり今も残されている。

古賀人形で残る

途絶えていた日蘭貿易を復興:商館長として就任したブロンホフには大きな役目があった。ヨーロッパの戦乱のために中断していた日蘭貿易の損失を補い交易を回復させることだ。長崎奉行や江戸幕府に熱心に働きかけて銅の輸出量の増額を実現した。オランダ商館日記には、かつての貿易を再び取り戻そうと、関係者との折衝や調整に日々努力する姿が克明に記録されている。

ラクダをプレゼント

1821年に来航したオランダ船でラクダが2頭やって来た。長崎奉行所が幕府に問い合わせると「勝手にしてよい」との回答が。持て余したブロンホフは、このラクダをなんと遊女にプレゼントしてしまった。遊女も困ってしまい、見せ物として引き取ってもらう。ラクダは江戸に連れていかれ木戸銭32文で見せ物小屋の名物になるが、北国に連れていかれた2頭は、寒さのため息絶えた。

駱駝図（長崎歴史文化博物館蔵）

堀 達之助

ほり たつのすけ
1823年—1894年

阿蘭陀通詞

1853年ペリー艦隊との最初の交渉において、主席通詞を務めた長崎の阿蘭陀通詞。開国後、幕府天文方の蕃書調所で英和辞書の編集を任される。1861年『英和対訳袖珍辞書』を出版。本文953ページからなる、わが国で初めて活字本として公刊された本格的英和辞書であった。

ペリー艦隊との交渉で高い語学力と胆力を見せた

略年表

1823年　長崎の阿蘭陀通詞・中野家に誕生
1846年　アメリカ東インド艦隊指令長官ビッドルが浦賀へ。書簡の翻訳など
1853年　ペリー初来航で主席通詞を務める
1854年　ペリー再来日で次席通詞
1855年　リュードルフ事件の疑惑で江戸伝馬町に入牢
1859年　出牢、蕃書調所で翻訳方を務める
1863年　『英和対訳袖珍辞書』初版200部刊行
1865年　箱館奉行通詞に任命、箱館赴任
1867年　箱館洋学所発足、「函館文庫」を作る
1868年　箱館裁判所参事席文武学校掛りに任命
1872年　依願退職し郷里の長崎へ
1894年　大阪の次男方で1月3日死去

生い立ち: 阿蘭陀通詞の名門・中山家の五男に生まれ、堀家の養子になる。幼少からオランダ語を学び、13歳で稽古通詞に就くという語学の才を見せた。幕末に外国船が日本近海に出没すると、長崎の阿蘭陀通詞は江戸で必要とされ、ペリー艦隊との協議を成功させた堀達之助はその草分けだった。江戸の蕃書調所(ばんしょしらべしょ)で英和辞書編纂の後は、箱館奉行所通詞として着任。箱館洋学所を開設し、現在も函館市中央図書館などに残る「函館文庫」を創設。

ペリー初来航で主席通詞:「I can speak Dutch(私はオランダ語を話せる)」。堀達之助の第一声が、黒船との交渉の糸口を開いた。これが日本で初めて公式の場で話された英語といわれる。1853年のペリー提督率いるアメリカ艦隊との協議は、主席通詞を務めた達之助の堪能なオランダ語を介してつづけられた。翌年のペリー再来航時は、アメリカ人マクドナルドから直接英語を学んだ森山栄之助が主席通詞を務め、達之助は次席通詞として文書の翻訳などに当たった。

獄中生活で吉田松陰と交流: 1854年、伊豆下田詰となった達之助は、ドイツ国籍の貿易商から、日本との通商を求めるドイツ政府の外交文書を預かる。これを幕府に提出

◉参考文献
『英学と堀達之助』(堀孝彦著、2001年、雄松堂)
『和魂洋才肥前国人物伝　貳』(佐藤康明著、2009年、カステラ本舗福砂屋)

長崎の大音寺にある堀達之助の墓

しなかったとして追及され、伝馬町の牢に4年間投獄される。獄中では「安政の大獄」で捕らわれた吉田松陰と意気投合。アメリカ渡航を夢見てペリー艦隊に乗船しようと企てた男と、ペリー艦隊に公式に乗船した男の出会いであった。松陰は友人宛書簡で達之助のことを「通詞中の才物」と高く評価している。達之助の釈放は、松陰処刑の2日後であった。

本格的な英和辞書を編纂:出牢後は、幕府の蕃書調所で英和辞書編集の責任者に任命される。50年前に出版された英和辞書しかなく、正しい発音で編まれた最新の辞書が求められた。達之助は英蘭辞書のオランダ語部分を日本語に置き換える作業で編集を進め、1863年に『英和対訳袖珍辞書』を出版。「袖珍辞書」とは「Pocket Dictionary」の意味だが、現物は900ページを超える分厚い書物だったため「枕辞書」とも呼ばれた。

現代の足跡

長崎から江戸、箱館と活躍の場を移し、隠居後は次男孝之のいる大阪で逝去。現在は長崎市鍛冶屋町の大音寺にある堀家墓所に先妻ふさと共に眠っている。

黒船を相手にした機転

1853年、浦賀沖に現れた黒船、ペリー艦隊と幕府役人が初めてのコンタクトをとった。巨大な蒸気船「サスケハナ」号に近づいた幕府の番船は、退去を求めるフランス語の文書を持っていたがペリー側は受け取りを拒否。そこで堀達之助の一声「I can speak Dutch」である。ここからアメリカ側通訳とのやりとりが始まった。「ペリーは浦賀の最高位の役人としか話さない」と言われると、すかさず横にいた役人を「副奉行である」と示し、船上に乗り込むことに成功したのである。実は役人は副奉行ではなく、ただの与力だった。

ポンペ

ポンペ・ファン・メールデルフォールト
1829年—1908年

どんな人　近代西洋医学教育の父

長崎大学附属図書館蔵

医療技術を日本に伝えた外国人医師はいたが、カリキュラムに沿って、医学の全課程を体系的に指導したのはポンペが初めてだった。西洋式病院「小島養生所（こしまようじょうしょ）」を開設すると、身分や貧富の分け隔てなく治療に当たった。教え子の松本良順、長与専斎らは後に明治の医学行政の中枢を担うようになったことから「近代西洋医学教育の父」と呼ばれる。

西洋医学の全課程を5年間長崎で教えた

略年表

1829年　5月5日、ベルギーの貴族の家に生まれる
1849年　ユトレヒト陸軍軍医学校卒業
1851年　東インドで勤務
1856年　デン・ヘルダーの海軍病院に勤務し二等海軍軍医に
1857年　第二次海軍伝習の教官として長崎に赴任。西役所で松本良順とその弟子12人に最初の医学講義
1858年　長崎でコレラ大流行。治療と予防に当たる
1859年　日本初の人体解剖実習を行う
1861年　小島養生所開設
1862年　帰国
1874年　ペテルスブルグの日本公使館に2年間勤務
1887年　カールスルーエの国際赤十字会議にオランダ代表として参加
1908年　10月7日、79歳で死去

生い立ち:ベルギーのブルージュで貴族の家に生まれる。1849年にユトレヒト陸軍軍医学校を卒業。1857年、日本から軍医派遣要請を受けたカッテンディーケに選ばれて長崎へ。自身が学んだオランダの医学校カリキュラムで指導を行うことを決意。5年間、医学教育と治療のために全力を傾けた。1862年、医学校の学生たちに卒業証書を渡し帰国。その後は赤十字の国際委員などを務めたが、牡蠣の養殖事業で失敗。1908年に79歳で逝去した。

日本で最初の近代西洋医学教育:第二次海軍伝習所の教官として長崎に赴任した28歳のオランダ軍医ポンペは、日本に医学教育を根付かせる使命感に燃えていた。化学・物理学といった基礎科学を理解した上で、生理学・病理学・薬理学など基礎医学を学び、やがて外科学・内科学・眼科学の臨床医学に発展していくカリキュラムは、現代にも通じる日本で最初の近代的な西洋医学教育だった。たった一人で教えるポンペを、オランダ語に堪能な将軍御目見医師・松本良順や司馬凌海が支えた。

西坂で日本初の人体解剖実習:幕府の許可を得て1859年に日本初の人体解剖実習を西坂の丘で行った。処刑された囚人の献体を使い、これに反感を持つ大勢の市民に囲まれ、約150人の警備に守られての実習だった。ポンペ

◉参考文献
『出島の医学』（相川忠臣　長崎文献社　2012）

ポンペの著書の口絵に描かれた小島養生所　長崎大学附属図書館蔵

は丸2日かけて45名の医師たちの前で解剖を行い、外科手術について解説した。見学の医師の中にはシーボルトの娘の楠本イネもおり、「優れた質問をしたため外科手術の助手を務めさせた」とポンペの報告に書かれている。

四民平等・患者ファーストを実践:ポンペが教えたのは医療知識だけではない。民主主義の国オランダで育った彼は、身分や貧富、性別、国籍で区別せず、平等に病人として扱い、貧しい人は無料で診察した。1858年に長崎でコレラが大流行したときは、自らも倒れるほど精力的に治療に当たるポンペに人々は信頼を寄せた。長崎滞在の5年間で治療した患者は14530人にも上る。

小島養生所を創設:ポンペの「医学校設立」の夢は、長崎奉行の好意的な助力と松本良順の奔走があって実現した。1861年、長崎港を見下ろす小島佐古の丘に、日本で初めての近代西洋医学病院「小島養生所」が完成した。南風がよく通るH型の2階建て2棟で、124床のベッドを備え、栄養が必要な患者には肉料理が出ることもあったという。ポンペ帰国後は後任のボードインに引き継がれ「精得館」と名称を変え、現在の長崎大学医学部の前身となった。

ポンペ会館

長崎大学医学部の構内にはポンペ会館がある。キャンパスには、医学部本部にもポンペのレリーフが壁面に飾られ、「医師は自分自身のものではなく、病める人のものである。もしそれを好まぬなら、他の職業を選ぶがよい」というポンペの言葉がある。

現代の足跡

2015年に発見された小島養生所の遺構は長崎市の史跡に指定。現在は跡地に建つ長崎市立仁田佐古小学校の体育館に併設して「長崎(小島)養生所跡資料館」が開設されている。

Who's Who
Nagasaki 100

VI

益冨正勝
松田源五郎
松田雅典
松平図書頭康平
松永安左エ門
松本良順
松浦隆信
三浦按針
道永エイ
宮崎康平
向井元升
黙子如定
本木昌造
本木良永
森山栄之助

益冨 正勝

ますとみ まさかつ

？年―？年 江戸中期

捕鯨家

江戸中期、生月（いきつき）で網掛突取法による捕鯨を行う「鯨組」を立ち上げた益冨家の初代。益冨組は、最盛期には年間200頭を捕獲するなどして大成長を遂げた。「鯨一頭七浦潤う」時代、益冨組の利益は莫大なものであり、数千人の雇用を創出し、平戸藩の財政をも支えた。

『勇魚取絵図』より

「鯨一頭で七浦潤う」と日本一の富を平戸藩に

略年表

生年不詳（1600年代初期か）。戦国時代。先祖は武田信玄に仕える

1640年ごろ?　平戸に移り、畳屋を家業とする。その後、生月で鮑仲買業、鰤網を始める

1725年　初代正勝、生月で捕鯨業を立ち上げる

1729年　生月島北部に拠点を移す

1740年　平戸藩主が屋敷を訪れる

1742年　益冨姓を拝領

生い立ち:甲斐国の武士を祖に、平戸、生月へと移った畳屋（たたみや）又左衛門の子孫として生まれる。又左衛門、道喜とも名乗った。「益冨」の姓は、先祖の不思議な体験により、平戸藩主から拝領したもの。

甲斐国から畳屋へ:正勝の先祖は、甲斐国で武田信玄に仕えた武士とされる。武田家滅亡ののち、大坂、唐津、平戸へと代々移り、畳屋を家業とした。さらに生月島での鮑（あわび）の仲買商や鰤（ぶり）網を手掛けて成功。「武士は食わねど……」ではなく、その時々で生き抜いてきた先祖たちの上に、正勝の捕鯨の道は開かれた。

西海捕鯨の覇者となる:西海での捕鯨は、17世紀前半には紀州の人々によって始められていたが、当時はまだリスクの大きい突取（とっとり）によっていた。1725年、正勝は生月でより確実な網掛突取法による鯨組を立ち上げ、壱岐や五島に漁場を拡大。平戸藩によって漁場の使用を保障されると、益冨組は順調に発展し、日本一の規模を持つ鯨組となった。

江戸時代の大企業:豊かな漁場を確保した益冨組は、年間200頭を捕獲する年もあり、その利益は莫大であった。献金は平戸藩を大きく支え、大規模な土木工事などに使われた。実際に鯨を獲る漁師だけでなく、水揚げした鯨を

◉参考文献
『鯨捕り絵物語』（中園成生、安永浩　弦書房）
『旅する長崎学⑭』

網掛突取法
仕掛けた網に鯨をからませて
鯨のスピードと動きを封じ
銛と剣でしとめる漁法
船の指揮役
鯨をとらえた際には
その背中によじ登って
背中にある鼻の穴に
網を通す危険な仕事
羽指
はざし
鰤の網をおやんなさ〜い
そうすれば子々孫々まで、益々富み栄えるよ〜〜ン
ザバァァ
畳屋又左衛門
（正勝の先祖）
ひぇぇぇ…
この話を正勝が平戸藩主にしたことにより「益冨」の姓を賜ったという。
実力本位で、命がけの仕事だったが
活躍した者は高い賃金と階級を得た。
益冨氏は、人形浄瑠璃を
生月島に招いて島民に
見せたり、地域の人には
お礼をしたりと、周りへの
配慮も怠らなかった。

画:マルモトイヅミ

加工する人員なども含めると「従業員」の数は3000~4000人にも上る。捕鯨は一大産業、鯨組は大企業であり、経営システムや福利厚生の面は、現代にも大いに通じるものがある。

益冨家住宅

捕鯨大図鑑！『勇魚取絵詞』

益冨組は、鯨の種類から漁や解体の様子、料理の詳細や宴で楽しまれる歌や踊りに至るまで、捕鯨にまつわるあらゆることを『勇魚取絵詞』として記録している。高度に細分化された道具や、人々の表情など、長崎の鯨文化の豊さが垣間見える。

現代の足跡

生月には、益冨組の納屋場の跡や、益冨家の屋敷がある。県史跡でもある屋敷には、主屋や恵美須神社、藩主を迎える門などが残っている。老朽化が進んでいたが、近年、補修·保全工事がなされた。捕鯨や隠れキリシタンの歴史を紹介する「島の館」もぜひ訪れたい。

松田 源五郎

まつだ げんごろう
1840年—1901年

長崎の近代化に尽力した実業家

（十八親和銀行提供）

第十八国立銀行の創設や、日見新道開削などに尽力した傑物。鉄道敷設、長崎港湾整備など、長崎のインフラ整備に地元の総力をまとめる中心としての役割をはたした。人材育成にもこころを砕き、長崎商業学校の設立に力をそそぐ。

長崎商工会議所発展につくした「商海の偉人」

略年表

1840年　長崎酒屋町で生まれる。父は長崎刺繍縫い師
1860年　松田勝五郎の養子になる
1871年　永見伝三郎らと永見松田商会設立
1874年　渋沢栄一の委嘱で新通貨調査に上海出張
1877年　第十八国立銀行開業
1882年　日見新道竣工
1883年　松田商行海運業に参入
1884年　長崎商法会議所会頭に
1885年　第十八国立銀行の2代目頭取に就任。長崎商業学校開校
1886年　鉄道敷設に奔走、会社設立
1888年　九州鉄道会社敷設事業へ
1889年　長崎製氷会社取締役
1891年　本河内水源地竣工に貢献
1895年　長崎湾浚渫を議会で決議
1898年　九州鉄道長崎線開通（大村—長与）
1901年　心臓麻痺で死去

生い立ち:長崎の中心部酒屋町の鶴野家に生まれ、血縁関係のあった松田家に養子に迎えられる。鶴野家は刺繍の縫い師としてくんちの垂れ「魚づくし」などに名を残している。いっぽう、松田家は対馬屋という貿易商で長崎の経済の中枢をになっており、その後継者として16歳で迎えられた。その直後2年半におよぶ全国遊学を果たして、見聞を広め明治新時代の感覚を養った。

本木昌造、福沢諭吉との出会い:長崎製鉄所を辞して新町私塾を開いていた本木昌造のもとを30歳になった源五郎は足しげく訪ねている。当時長崎でトップレベルの技術、教育の指導者の知識を吸収している。もうひとり、若くして長崎游学を果たして慶応義塾を開いた福沢諭吉の『西洋事情』を通じて外国の制度などを学び、目を開かれた。源五郎の生涯に、この2人の影響は大きい。

バンクという金融制度:江戸時代の貿易港だった長崎では、まだ金融の仕組みは近代化に対応していなかった。源五郎は織物貿易商の対馬屋の後継者として、「バンク」という近代金融制度に目を開かれ、「協力社」の組織に名をつらねた。その後、全国に両替商として名をなしていた「小野組」の長崎支配人となり、渋沢栄一との出会いにつながった。

◉参考文献
『長崎偉人伝　松田源五郎』（藤本健太郎　長崎文献社　2022）
『松田源五郎伝』（廣田三郎　実業人傑伝第三巻　1898）

渋沢栄一の知遇から十八銀行設立へ:第一国立銀行頭取だった渋沢栄一は、長崎の源五郎に絶大な信頼を置き、上海に出張させて外国の仕組みを学ばせる。銀行条例が改定されると、渋沢は第十八国立銀行の開業免状取得を支援しながら、上京した源五郎を励ました。源五郎は第十八国立銀行の第2代の頭取となる。この銀行は十八銀行となるが、現在は十八親和銀行となっている。

渋沢栄一

商工会議所、道路、鉄道、港湾の整備へ:源五郎は、商工業団体を組織化し現在の長崎商工会議所の前身となる「商法会議所」も設立、行政に対して発言を強めた。近代都市に必要なインフラ整備が急務だった道路、鉄道、港湾の整備にも取り組んだ。長崎街道の難所で有名な日見峠の開削工事の難事業を成功させたのも源五郎の力による。「日見峠新道会社」を設立して、諫早一学らの資金援助で人力車が通れる新道を実現した。現在の長崎駅のある場所は、源五郎が港湾浚渫ででた泥土を埋め立ててできたところである。悲願の鉄道敷設では、晩年の一部完成を見たのみで、長崎市内までの乗り入れのときには、亡くなっていた。

1908年に立像が建てられた①

政治の世界でも:源五郎は人望があり政治の世界でも切れ目なく議員を務めている。1879年から1901年まで地域社会の治世にかかわり、1879年に初めて開かれた長崎県議会に光永寺の議場で議事に参加している。1892年の衆議院議員選挙では長崎県第一区でトップ当選しているが、多忙を理由に議員を辞職しており、国政にはあまり熱心ではなかった。

1963年に胸像ができ現在に②

現代の足跡

長崎公園には1908年に松田源五郎の立像が建てられた(①)ものの、1944年に金属回収例の対象となって消えた。しかし、1963年に胸像として蘇って現在にいたる(②)。諏訪神社の裏手にあたる長崎公園には、本木昌造、長崎甚左衛門などの偉人像もたっている。

松田源五郎の墓

松田 雅典

まつだ まさのり
1832年—1895年

どんな人 実業家

長崎の乙名の家に生まれる。明治に入ると、英語伝習所から発展した「広運館」に勤める。フランス語教授レオン・デュリーが食べていた牛缶に驚き、缶詰の製法を研究。缶詰試験所を立ち上げる。生前は一般に普及するまでには至らなかったが、現代の生活に欠かせない缶詰の祖となった。

缶詰製造を研究し、製品化の道を開く

略年表

1832年	乙名・馬場家に生まれる。乙名・松田家の養子になる
1868年	英語伝習所が広運館となる
1869年	広運館で牛缶を知る
1879年	長崎県缶詰試験所を設立
1884年	松田缶詰製造所を始める
1895年	死去
1904年	日露戦争。缶詰が軍需品に
1914年	トマトサージン開発される
1935年	長崎港の輸出トップになる

生い立ち:乙名の馬場家に生まれたのち、おなじく乙名の松田家の養子となる。長崎会所に勤め、明治に入ると、英語伝習所の流れを汲む長崎府の教育機関「広運館」に勤務した。

デュリー先生の牛缶:幕末からの英語伝習所は、1868年に「広運館」となり、フランス語の授業も開講された。教授はフランス領事でもあったレオン・デュリーで、48人の学生の中には西園寺公望(さいおんじきんもち)もいた。広運館に勤めていた雅典は、デュリーが牛肉の缶詰を食べているのを見て驚愕。その製造法を聞き、自分でも作ってみようと研究を始めた。最初に作った缶詰は、イワシの油漬けだったという。

缶詰製造の祖:広運館が閉校し、長崎県勧業御用掛となった雅典は、知事に「長崎県缶詰試験所」の設立を願い入れる。その後、払下げを受けて「松田缶詰製造所」を開き、フランスの軍艦などに販売する。高価だったこともあり、生前は一般化にはほど遠かった。しかし現代の生活にも欠かせ

長崎公園登り口の記念碑(下妻撮影)

◉参考文献
『わかる!和華蘭～新長崎市史普及版』(長崎市　平成27年)
『長崎游学⑫』(長崎文献社　2017)

ない缶詰の日本における第一歩は、まぎれもなく雅典が踏み出したものである。

イワシ缶、世界へ：雅典の死後、「国産缶詰」は日露戦争の軍用食として重宝された。また、大正に入るとトマト・サージンが製造されるようになり、輸出品としても成長。長崎港の主力輸出品ともなった。戦後すぐはイワシの豊漁もあり、ふたたび多くのイワシ缶が作られて水産業復興の一翼を担った。

広運館のランチタイム

レオン先生が取り出したのは金属の塊！
?
?

西洋の人は金属を食べるのか…
えっ
!!
♪

開けてびっくり！肉が入ってる！！！
肉

画：ヤマモトシホ

レオン・デュリー

なにげないランチが雅典の人生を変えたレオン・デュリーは、南フランス出身の医師。もとは医学を伝えるために来日したが、長崎のフランス領事館を任された。パリ万博の際は幕府の視察団に同行している。広運館時代には、プチジャン神父とも親しく、大浦天主堂の建設にも協力した。滞日10年で帰国したが、1888年にはマルセイユの名誉日本領事となり、生涯を全うした。

長崎で教え子たちといっしょに写真に収まるレオン・デュリー（中央）

現代の足跡

諏訪の杜の一角、長崎公園の登り口に「日本最初の缶詰製造の地」碑があり、雅典の業績が紹介されている。墓所は晧台寺。

松平 図書頭康平

まつだいら ずしょのかみやすひら
1768年—1808年

旗本・第81代長崎奉行

長崎奉行として赴任した翌年、イギリス船フェートン号がオランダ船を擬して長崎港に侵入。出島の商館員を人質にして、水や薪、食糧を求めた。撃退すべく出動を命じた佐賀藩の兵が不在だったことから、不覚にも要求をのんだ。交戦は避けられたが、引責のため自害。

大音寺にある墓

異国船との交戦を回避したが、責任をとり自害

略年表

1768年　高家旗本前田家に生まれる
1777年　旗本松平家の入婿となり家督相続
1788年　中奥番士
1794年　西丸徒頭
1796年　西丸目付
1800年　目付
1802年　船手頭兼任
1807年　第81代長崎奉行となる
1808年　フェートン号事件の責により切腹

生い立ち:高家旗本前田家に生まれる。幼名は栄之助、康秀、康平、伊織とも。1777年、旗本松平家の入婿となり家督相続。従五位下図書頭を称す。中奥御番、西ノ丸徒頭、目付などを経て、1807年に長崎奉行となった。

ロシアへの備え:康平が長崎奉行になる3年前の1804年、長崎の港にはロシアのレザノフが来航して通商を求めたが、幕府は拒絶。レザノフが択捉などを襲ったことで、1807年にはロシア船打払令が出された。これに対し、長崎奉行となったばかりの康平は、1808年にロシア船の処分法や来航の際の警備法を定め、台場や備場などの体制を強化した。

フェートン号事件:その直後、イギリス船フェートン号がオランダ国旗を掲げて長崎港に入港。オランダ船と思って近づいた商館員二人が捕縛され、船からは水と薪、食料の要求と、拒否した際の攻撃が通告される。康平はこれに対し、港で警備をしていたはずの佐賀藩を出動させようとしたが、番兵は帰藩していた。出島商館長ドゥーフの助言もあ

フェートン号図(長崎歴史文化博物館蔵)

◉参考文献
『わかる!和華蘭』(長崎新聞社)、
『長崎事典・歴史編』(長崎文献社)、
『長崎史談会だより』(平成25年6月号『フェートン号事件風評覚1』)

り、フェートン号を要求を叶えることで交戦は避けられたが、屈辱と責任を感じた康平は切腹した。享年41。

大音寺と諏訪の杜に：康平の切腹はフェートン号出航の夜に行われたが、公式な届出としては、9日後に病死とされている。当時の町民は康平を偲び、諏訪神社に「康平社」を祀って、道半ばで自害した奉行の霊を鎮めた。

諏訪神社境内の「祖霊社」（下妻撮影）

フェートン号事件がもたらしたもの：事件の衝撃は大きく、港の周辺には新しい台場が続々と増設され、外国船打払令が出された。また、外交交渉のために、ロシア語、フランス語、英語の習得が急務となり、オランダ通詞たちがドゥーフやブロンホフなどから学んだほか、辞典の編纂も進んだ。必要に迫られてスタートした語学学習であったが、やがて本格化する開国や近代化への基礎作りともなった。

現代の足跡

墓所は長崎市の大音寺にあり、市指定史跡となっている。「康平社」は諏訪神社境内に「祖霊社」として整備されている。

8月18日暁《西役所》
康平さま……
しばらくは伏せておこう。ご病気ということにしよう

18日夜《大音寺》
康平さまが『急病』ですのでお越しください
え？それって……

26日
康平さまが亡くなられた！
ですよね……

画：ヤマモトシホ

松永 安左エ門

まつなが やすざえもん
1875年—1971年

政治家、実業家

「電力王」「電力の鬼」と言われ日本の電力業界で活動した実業家であり政治家（帝国議会衆議院議員）。1940年から一切の公職を辞して茶道にうちこむ。戦後70歳すぎて再起して、電力再編と民営化を実施する。

戦後の経済成長を導いた不屈の事業家

略年表

1875年　壱岐市石田町に生まれる
1889年　慶應義塾に入学
1893年　退学、家業を継ぎ、3代目安左ヱ門を襲名
1895年　慶應義塾に復学
1899年　日本銀行に入行
1904年　竹岡カズと結婚。石炭業を商う
1909年　福博電気軌道設立
1910年　九州電気設立
1917年　博多商工会議所会頭。福岡県選出、衆議院議員に当選立
1924年　（社）日本電気協会会長
1934年　耳庵として、茶道に親しむ
1950年　電気事業再編成審議会会長となり、民営化を強行
1964年　勲一等瑞宝章
1971年　6月16日、逝去

◉参考文献
『松永安左エ門著作集』（五月書房）
『電力の鬼　松永安左エ門自伝』（毎日ワンズ）
『茶の湯交遊録　小林一三と松永安左エ門』逸翁美術館／福岡市美術館編（思文閣出版）
壱岐観光ナビ「実りの島、壱岐」HP

生い立ち:長崎県壱岐島出身。父の名を襲名し、3代目安左エ門となる。家督を相続するが一念発起し、慶應義塾で福沢諭吉の教えを受ける。石炭事業などを経て、福博電気軌道設立を契機に電気事業に着手、活躍の場を全国に広げた。太平洋戦争下では国家管理化におかれることに反対し隠居したが、戦後の占領下で電気事業再編成審議会会長として再起。電気事業の民営化や料金値上げなどの電気事業再編成を主導し、その強硬な姿勢から「電力の鬼」の異名をとった。

福沢諭吉の助言:父の後を継ぎ、社会に出た松永にとって学校は退屈だった。福沢諭吉に心境を吐露すると、「そういう気持ちなら、大いにやるべし、やるべし。月給取りはつまらないから、独立した実業人になれ」と背中を押した。

近代の三茶人:還暦を機に茶道に親しむ。雅号の耳庵は、論語「六十にして耳順う」から。「茶の修行は、昨日の回顧でもなければ、明日の夢想でもない。今日只今、即刻が人生であるという見方、考え方の、努力精進である。今日只今を真剣に生きようという生き方である」と茶論を語った。益田孝（鈍翁）、原富太郎（三渓）と並び、近代の三茶人と称された松永は、茶道具や古美術の収集家でもあった。収集品は茶器以外にも弥生時代の土器や飛鳥

時代の仏像など幅広く、福岡市美術館に寄贈された。

新座市平林寺に安左エ門の墓:埼玉県新座市の平林寺に松永安左エ門の墓がある。壱岐の松永家墓地にも分骨されている。松永は1940年、66歳で近衛首相らに大蔵大臣や大政翼賛会総裁に推挙されたが拒否。戦時下にあって一切の公職を辞して茶道にのめりこむ。広大な土地を求めて「柳瀬荘」をつくり、平林寺前には「睡足居」という茶室をつくって茶事三昧に打ち込んだ。この時期は雌伏の時期とされる。戦争が終わって収集した茶道具や古美術品は東京国立博物館に寄付する。現在、平林寺前には「睡足軒」という庵が一般に開放され、茶会などに利用されている。

埼玉県新座市平林寺に眠る

画:マルモトイヅミ

松永安左エ門「遺言状」

松永が亡くなる10年前に書かれたという遺言状が壱岐の記念館にある。<財産はセガレおよび遺族に一切くれてはいかぬ。彼らがダラダラするだけです。(衣類などカタミは親類と懇意の人に分けるべし、ステッキ類もしかり)><借金はないはずだ。戒名も要らぬ。>とあり、松永安左エ門という人物の魅力にあふれている。自然石の墓石には「耳庵」のみ。

現代の足跡

松永安左エ門記念館・ふるさと資料館

松永安左エ門記念館・ふるさと資料館: 松永の功績をつたえるため、生家内につくられた記念館。松永が設立した福博電気軌道(のちに西日本鉄道)の電車があり、館内にはゆかりの品々のほか、民俗資料などを展示するふるさと資料館も併設。壱岐市石田町印通寺浦360

松本 良順

まつもと りょうじゅん

1832年—1907年

医学教育の先駆者

（上野彦馬撮影）

幕府の将軍御目見医師でありながら、オランダ軍医ポンペによる新しい西洋医学を一から学ぶために努力を惜しまなかった。ポンペと共に開設した長崎の「養生所」、江戸の「医学所」で頭取を務め、近代西洋医学教育を行った。両校はそれぞれ、現在の長崎大学医学部、東京大学医学部の源流となる。

ポンペに近代西洋医学を学んだ幕医

略年表

1832年　蘭方医・佐藤泰然の次男として誕生
1848年　佐倉順天堂で父の助手を務める
1849年　松本良甫の養子になる
1855年　将軍御目見医師になる
1857年　第二次海軍伝習所の海軍伝習生御用医として長崎へ
1861年　長崎でポンペと共に日本初の近代西洋式病院「小島養生所」開設。頭取になる
1863年　江戸の医学所の頭取になり、ポンペ式授業に改める
1866年　新選組の衛生環境を改善。第14代将軍家茂の臨終を看取る
1868年　戊辰戦争で会津城内に野戦病院を開設
1871年　東京早稲田に西洋式病院「蘭疇舎医院」設立
1873年　大日本帝国陸軍初代軍医総監に就任
1907年　大磯の自宅で死去

◉参考文献
『出島の医学』（相川忠臣著、2012年、長崎文献社）

生い立ち: 蘭方医・佐藤泰然の次男として江戸に生まれる。父は病院兼蘭医学塾「佐倉順天堂」の創始者。17歳で幕府寄合医師・松本良甫の養子に。蘭方医が幕医となり将軍御目見医師に就くことは画期的なことだった。長崎でポンペに学んだ近代西洋医学のカリキュラムに従って、江戸の医学所（後の東京大学医学部）でも教育内容の大改革を行った。戊辰戦争後は一時期投獄されるが、明治以降は大日本帝国陸軍初代軍医総監など要職に就き、従五位に叙せられる。

ポンペと二人三脚で近代西洋式の医学校を開設: 第二次海軍伝習にオランダ軍医ポンペが派遣されることを知り、海軍伝習生御用医として1857年長崎へ。医学校開設へのポンペの志に共鳴し、最大限の力を尽くしてこれを支えた。まずは医学伝習を海軍伝習から独立させるよう努め、講義では堪能なオランダ語を活かしてポンペの授業を翻訳。再度講義を行って学生たちの理解を助けた。1859年に突然、伝習所のオランダ人教官に帰国令が出ると、長崎奉行の岡部駿河守と共にポンペ残留のため奔走した。1861年に悲願の小島養生所が完成し、良順が頭取となった。

戊辰戦争で軍医として奮闘：戊辰戦争では最後まで幕府方の医師として戦場にあった。江戸城明け渡し後は激戦地となった会津に下り、野戦病院を開設して傷ついた兵たちの治療に当たった。銃創の外科処置を医師たちに教え、衰弱した傷病者に滋養食として牛肉を食べさせるなど、ポンペに学んだ近代西洋医学がいかに有用かをここで知らしめた。

牛乳を飲む習慣を定着させる：健康促進のため牛乳を飲むことと海水浴をすることを日本に定着させた。1870年に早稲田に開設した「蘭疇舎医院」は、栄養に配慮し患者に牛乳を飲ませた最新の西洋式病院だった。牛乳飲用の普及のため、病院の近くに牛乳店を開業させたという。

現代の足跡

良順とポンペを創設者とする長崎大学医学部（長崎市坂本1丁目）敷地内には、良順の名を冠した記念館「良順会館」がある。ポンペが西役所で最初に講義を行った1857年11月12日を創立記念日とする同大医学部の150周年を記念して、2007年に開館した。養生所ゆかりの賢人をしのぶレリーフをはじめ、館内の「150周年ミュージアム」には良順直筆の書も展示されている。

良順会館は長崎大学坂本キャンパスにある

せ、せんせい
大変です
新選組局長
近藤勇が、
のり込んで
きましたっ
おう
上等だ
斬るなら
斬って
みやがれ！
松本良順
そ〜っ
はらはら…
せ、せんせい
大丈夫？
二人は
すっかり
意気投合
おまえさん
やるねエ
やんや
やんや
近藤 勇
いやいや
せんせい
ほどには…
後に良順は
戊辰戦争の折、
転戦した
新選組隊士の
手当をした

画：橋口美子

松浦 隆信

まつら たかのぶ
1529年—1599年

平戸藩主

（松浦史料博物館）

古くより「水軍」として海を制してきた松浦氏。隆信の代ではその流れを、アジアそしてヨーロッパとの貿易として大きくつかんだ。ポルトガル船との貿易は続かなかったが、平戸には、オランダ船、イギリス船も来航。巨富を得た松浦氏は盤石となり、江戸時代が終わるまで平戸に君臨した。

平戸に君臨して海を制し、貿易で巨富を得た

略年表

1529年　肥前平戸の松浦家に生まれる
1541年　家督相続
1550年　ポルトガル船を迎える
1558年～　北松浦半島掌握
1561年　宮の前騒動
1568年　剃髪。「道可」を名乗る
1571年　壱岐を領有
1587年　秀吉により旧領安堵
1597年　道号「印山」とする
1599年　死去

生い立ち：古来よりの水軍である松浦党の一派・平戸松浦家に生まれる。通称・源三郎。のちに道可とも。13歳で父・興信が死去し、若くして家督を継ぐ。大内義隆により「隆信」の名と肥前守の任を受けた。ポルトガル船来航後しばらくは領内のキリスト教布教を許すが、自身は曹洞宗に厚く帰依していた。

水軍から大名へ：隆信は若くして、九州北西部沿岸を拠点とする武士団「松浦党」のひとつ平戸松浦氏の当主となった。かつては海賊「倭寇」にもみなされた「水軍」であったが、「海のつながり」を生かして中国や朝鮮、東南アジアとの貿易を展開し、戦国大名そして平戸藩主の地位をつかんだ。

ポルトガル貿易開始：16世紀前半、日本と中国の密貿易の中心人物だった王直を厚遇し、領内に邸宅も与えた。王直は種子島の鉄砲伝来や、平戸へのポルトガル船入港にも関与しているとされる。これにより平戸でいち早くポルトガルとの貿易が始まり、松浦氏はさらに繁栄していく。

受け入れられなかったキリスト教：当時、貿易と宣教はセットであった。貿易の利のため、隆信はキリスト教の伝道を許した。ザビエルも滞在して、家臣を含む多くの平戸の人々が洗礼を受けたが、旧来の仏教勢力の圧力や、貿易

◉参考文献
『旅する長崎学①』
『旅する長崎学　14』

「貿易の時代」をいち早く見通した　　画:西岡由香

上でのトラブルもあり、ポルトガル船は平戸を去った。隆信の葬儀においては、キリシタンの家臣が参列を拒む形で長崎などに逃亡した。

閑雲亭(下妻撮影)

歴代藩主の文化遺産

歴代の松浦氏は文化芸術にも造詣が深く、現在も継承されている。茶道の「鎮信流(ちんしんりゅう)」を開いた四代藩主·鎮信、江戸時代の政治や外交、庶民の生活を『甲子夜話』に著した九代藩主·清(静山(せいざん))、お茶菓子図鑑『百菓之図』を作った十代藩主·熈(ひろむ)らが知られている。

現代の足跡

平戸城を頂く町並みには、歴史スポットや老舗菓子店などが点在する。現在も続く松浦家の宝物が展示される「松浦史料博物館」は、明治期に建てられた同家の屋敷。鎮信流のお手前がいただける『閑雲亭』も訪れたい。(左写真)

三浦 按針

みうら あんじん／ウイリアム・アダムズ

1564年—1620年

どんな人　航海士・徳川家康の政治顧問

1600年、オランダの東洋遠征船隊「リーフデ号」の一員として豊後（ぶんご）（大分）に漂着。家康の顧問に取り立てられ、政治や外交への提言だけでなく、科学技術までをも伝える。洋船も建造し、太平洋往復に成功。貿易においてはイギリス商館の設立にも尽力した。

平戸市にある三浦按針像

日英を結び、家康に好遇された“水先案内人”

略年表

1564年　イギリスに生まれる
1588年　船大工奉公を終える
1589年　結婚
1598年　リーフデ号航海士となる
1600年　豊後に漂着。大阪に送られる
1604年　西洋式帆船を建造
1607年　大型船を建造。三浦に所領を与えられる
1613年　イギリス貿易開始を助ける
1616年　家康死去
1620年　平戸で没する

生い立ち:イギリス・ケント州ジリンガムに生まれる。造船所の徒弟から水先案内人、イギリス艦隊船長を経て、オランダへ。ロッテルダム社の東洋遠征船隊の一隻であるリーフデ号に乗り込み、1600年に現在の大分県臼杵市の海に漂着した。

その名は按針:船大工の徒弟として「海の人生」をスタートした「ウイリアム少年」は、船を造るより乗るほうに舵を切る。イギリスの海軍で海戦も経験した後は、民間会社へ移り、アフリカ、極東と、より遠くの海を目指した。家康から与えられた日本名「按針」は、羅針盤となって船を動かした「水先案内人・アダムズ」そのものを表している。

家康の政治顧問として:当時の日本で「西洋」といえばカトリックの宣教師やポルトガル、スペインの商人たちが主だった。新たな貿易を模索していた家康にとって、プロテスタント国の船に乗ってきたイギリス人ウィリアム・アダムスが語るヨーロッパ情勢や、造船、航海の技術は、とても貴重であった。家康は土地を与え、旗本に取り立て、貿易船の朱印状も発行し、按針を引き留めた。

家康の前でひざまづく按針（日文研データベース）

◉参考文献
『旅する長崎学③』（長崎文献社）

日本への過酷な旅
航海は2年近くかかり、オランダを出るとき110人いた船員は日本の豊後臼杵にたどり着いたころには24人に減った。その中で自力で歩ける者はわずか6人だった。
5隻で出発したのに1隻になってしまった…
リーフデ号
でも家康公に会えてラッキーだったね!
日本の名前もつけてもらったし!
東京にある八重洲(やえす)という地名の由来になっている
航海士ヤン・ヨーステン
耶楊子(やようす)
ウィリアム・アダムス
三浦(現在の横須賀にある地名)
按針(水先案内人の意味)

画:マルモトイヅミ

平戸の地に:母国であるイギリス東インド会社の船が来航した際には、ともに家康と謁見し、貿易の開始や商館建設に向けて尽力した。1616年に家康が亡くなると、新しい将軍や幕府からは厚遇されることのないまま、平戸の地で没した。

(下妻撮影)

現代の足跡

平戸の町中には按針が住んでいた「按針の館」、崎方公園には「三浦按針の墓」がある。近年の発掘調査により「10年以上日本に滞在した北・西ヨーロッパ人」の骨が確認され、按針の骨である可能性が高いという。公園内には、ANJINローズガーデンもオープンした。(「三浦按針のものと思われる人骨初公開」長崎新聞　2021/4/30)。

ゆかりの地さまざま

按針が与えられた土地「三浦」である横須賀には、按針と日本人の妻を供養する「按針塚」と「塚山公園」があり、記念行事が行われている。按針の指導で日本初の西洋式帆船を建造した静岡県伊東市では、毎年夏に「按針祭」を開催。メモリアル公園もある。江戸の屋敷跡、外交顧問となった浦賀やリーフデ号の上陸地にも記念碑が立つ。

道永 エイ

みちなが えい

1860年—1927年

料亭・旅館経営者

若くしてロシア語と接客をマスター。ロシアに渡り、社交界で名を馳せる。長崎に戻ってからは、ニコライ皇太子やステッセル将軍らをもてなし、稲佐にホテル「ヴェスナー」、茂木に「ビーチホテル」を開いて繁盛させた。

ロシア皇太子を接待したホテル経営の女傑

略年表

1860年　天草に生まれる
1880年　稲佐の「ボルガ」を訪ねる
1881年　ウラジオストックに渡る
1891年　ニコライ皇太子を接待
1893年　ホテル「ヴェスナー」開業
1900年　高官専用のホテルを開業
1904年　日露戦争始まる
1905年　ステッセル将軍、兵士の滞在を世話する
1906年　茂木に「ビーチホテル」開業
1927年　死去

生い立ち:天草に生まれ、早くに両親を失う。茂木の旅館で働いたのち、諸岡マツが経営するロシア人向けの稲佐の料亭「ボルガ」を尋ねる。マツから紹介された「ロシア将校集会所」でロシア語をマスターし、21歳でウラジオストックへ。9年後に長崎に戻り「ボルガ」で働く。

ニコライ皇太子をもてなす:長崎でもロシアでも名を知られていたエイは、1891年にロシア皇太子ニコライ2世が長崎を訪れた際、その接待を依頼される。丸山芸者をあげての宴会など、心尽くしのもてなしをした。長崎の滞在を楽しんだ後、皇太子は「大津事件」で大怪我を負う。上野彦馬の写真館で、人力車に乗って撮影した写真が大いに売れたという。

ヴェスナー大繁盛:ニコライ接待の誉も残る1893年、エイは稲佐の地にホテル「ヴェスナー(ロシア語で『春』)」を開く。長崎の港を望む豪華な建物には、レストランや宴会場、遊技場もあり、長崎を訪れるロシア人で賑わった。さらには「VIP専用」のホテルも経営したが、1904年に日露戦争が始まると「スパイ」「非国民」呼ばわりされた。

◉参考文献
『ながさき稲佐ロシア村』(松竹秀雄　長崎文献社　2009)
『ニコライの首飾り』(白浜祥子　彩流社)

人気のビーチホテル：エイは、日露戦争で捕虜となったステッセル将軍一家と1万名近いロシア兵滞在の世話を依頼された。一行は「ロシア村」と呼ばれた一帯でエイの采配により、しばし穏やかなひとときを過ごした。その後、長崎から避暑地・雲仙に向かう港である茂木に、外国人向けの「ビーチホテル」を開き、洋風なしつらえと料理などで人気を博した。

ロシア人将校、ニコライ皇太子に囲まれて美しく輝くお栄さん。

日露戦争勃発
露探（スパイ）！
非国民！
フン！
気にせんちゃよか！

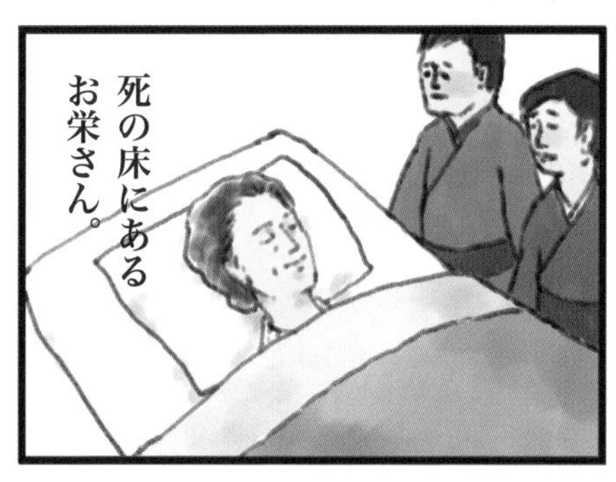

死の床にあるお栄さん。

人間は死ぬとが当たり前。なんの泣くことがあるね！
女王の風格…あっぱれ。

画：ヤマモトシホ

長崎とロシア

明治期の長崎は、艦隊が越冬するなど、ロシアと親しい関係が続いた。そのため、外国人向けの土産物屋などには、ロシア語の表記が多かった。日露戦争により一時中断するが、ロシア革命後には、ふたたび白系ロシア人が移り住み、浜の町で洋品店を開く者もあった。南山手にはいまも「コンスイ坂」の地名があるが、これは「領事館」を意味するロシア語の名残りである。

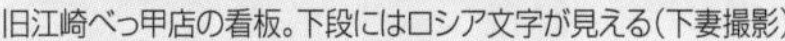
旧江崎べっ甲店の看板。下段にはロシア文字が見える（下妻撮影）

現代の足跡

「稲佐のお栄さん」と称されたゆかりの地・稲佐には、当時を偲ぶものはほとんど残されていない。悟真寺のロシア人墓地は、晩年のエイが手入れを支援をしたといい、のちにゴルバチョフ大統領の訪問にもつながった。茂木の裳着神社の御垣内には、エイの名が刻まれている。

（下妻撮影）

宮崎 康平

みやざき こうへい

1917年—1980年

どんな人　作家・古代史研究家

著作『まぼろしの邪馬台国』はベストセラーとなり、邪馬台国論争を巻き起こすきっかけとなる。実業家としては、島原鉄道の経営再建に尽力するなど複数の事業に関わった。康平が自身の子に聞かせていた子守唄は、ヒット曲「島原の子守唄」として有名。

「邪馬台国」ブームの火付け役、盲目の作家

略年表

1917年　島原に生まれる
1935年　島原中学校卒業、早稲田高等学院入学
1937年　早稲田大学文学部入学、演劇研究会に入る
1940年　東宝入社。同年秋、家業を継ぐために帰郷
1946年　家業「南旺土木」社長就任（2年後倒産）。島原鉄道常務取締役就任
1950年　完全失明
1958年　長崎県酪農業農協連合会顧問就任。以降、果物栽培や農業研究所など農業に従事
1967年　『まぼろしの邪馬台国』出版、吉川英治賞受賞
1980年　62歳で急逝

生い立ち:本名・懋（つとむ）。長崎県南高来郡（現・島原市）に生まれ、早稲田大学卒業後は脚本家として東宝映画に入社する。帰郷後、家業を継ぐとともに島原鉄道取締役に。家業の失敗、失明、離婚など失意の中にも詩や小説の執筆は続けた。地元からの土器出土で古代史に興味を持つようになり、調査研究結果を『九州文学』に連載、後年出版されると邪馬台国ブームの元となった。調査や執筆は再婚した妻が支え、第一回吉川英治文化賞を夫妻で受賞している。

お召列車に案内される昭和天皇（『島原鉄道111年物語』より）

島原鉄道:島原鉄道の役員を断続的ながら務めていた康平は、線路改修や車両取り替えに奔走した。昭和天皇の巡幸を迎えるにあたって業務は多忙を極め、患っていた眼病が悪化して失明する。同じ頃、子ども2人を残して妻が家出、子守りをする康平が口ずさんでいた歌が「島原の子守唄」の元となった。

古代史への傾倒、「邪馬台国」へ:1957年の諫早水害からの鉄道の復旧作業中、各所から土器のカケラが見つか

◉参考文献
『盲目の作家 宮崎康平伝』（高尾稔著 創思社出版　1986）
『島原鉄道111年物語』（島原鉄道編 2019）

島原の子守歌
島原市霊丘公園に保存されているC12形蒸気機関車。
昭和24(1949)年のお召列車をけん引したものと同型。C12では珍しい除煙板付である。
多才な人物だった宮崎、農業や酪農の指導にもあたっていた。
当時は、戦後の荒廃のため廃止になる鉄道が多かった。島原鉄道も例外ではなかったがそれを食い止めたのが常務取締役の宮崎だった。
その経験と知識が「まぼろしの邪馬台国」での考察にも活かされている。
バナナを作っていました!
作詞家としても活躍。宮崎は、地元の名士であることから、多くの学校より校歌を依頼され歌詞を作った。

画:マルモトイヅミ

り、それが康平の転機となった。生活のために農業を営みつつ、九州各地・朝鮮半島まで足を運んでは遺跡調査をおこない、独自の古代史観で執筆を進めた。盲目の康平と、支えつづけた妻・和子との共同作業だった。

ベストセラー『まぼろしの邪馬台国』:康平がたびたび詩や小説を発表していた『九州文学』に連載された「まぼろしの邪馬台国」が大手出版社から刊行。本は売れに売れ、邪馬台国や女王卑弥呼が脚光を浴びることとなった。大学の先輩にあたる森繁久彌(もりしげひさや)主演で舞台化されたほか、映画にもなって多くのファンを魅了している。

遺跡調査(『盲目の作家　宮崎康平伝』より)

康平夫妻と森繁久彌(同上)

島原の子守唄

視力が失われていく不安の中に歌った、懐かしくも哀感漂うメロディー。「オロロンバイ」と優しく耳に残る歌詞。歌の成り立ちには諸説あるものの、今の形にまとめ上げたのが康平であることは間違いない。

「島原の子守唄」のイラストが目をひく島鉄車両

向井 元升

むかい げんしょう

1609年—1677年

儒医

幼少期に神埼から長崎に移り、天文学、儒学、医術などを学び、それぞれの分野で優れた業績･著作を残す。医師としては上洛して皇族の治療にも当たるほどになり、儒者としては長崎に聖堂を開いて、当地の学問を盛んにした。禁書吟味の書物改めや唐人貿易の信牌発行にも携わった。

長崎聖堂「大学門」は、現在興福寺に移築保存されている

長崎聖堂を開き、儒学を長崎に広めた学者

略年表

1609年　肥前国神埼に生まれる
1613年　父と長崎に移る
1639年　春徳寺住職の書物改役を助ける
1647年　東上町に立山聖堂建立
1654年　西洋医術『紅毛外科秘要』
1658年　京都で医術をなす
1663年　立山聖堂焼失
1671年　『庖厨備用倭名本草』まとめる
1677年　死去
1711年　聖堂移転「中島聖堂」として明治まで続く

生い立ち:肥前国神埼に生まれる。幼名は玄松。字は以順また素柏。霊蘭と号する。父とともに長崎に移り、天文学や本草学、医術、儒学を学んだ。

広く学び極める:元升は生来の好奇心と知識欲をもって、天文学や医術を学び、日本初の本草学の書『庖厨備用倭名本草』を記したほか、自然学や西洋医術の書も著した。禁制の本を選別する書物改の役を務めて最新の知識を得るとともに、出島の商館医とも接して西洋の医学も修める。良医として広く知られ、大名や皇族の治療も行った。

聖堂を開く:1647年、東上町に孔子の廟である聖堂を開いたとされる。聖堂は1663年に焼失したが、1711年に中島川河畔に移転。「中島聖堂」として再興する。江戸時代を通じて長崎の学問の中心地、さらに唐人貿易の業務である信牌の発行も司る場となった。

息子たちの活躍:元升が開いた長崎の聖堂は、主宰である「祭酒」を、三代以降、向井家が務めた。また、元升の三男元成が書物改中に禁書を発見したことにより、江戸時代が終わるまで譜代書物改めを相続した。元升の次男は、松尾芭蕉の「芭門十哲」のひとり、向井去来である。「いなづまや　どの傾城と　仮枕」(丸山･花月前の句碑)

『長崎先民伝　注解　~近世長崎の文苑と学芸~』(若木太一･高橋昌彦･川平敏文　編／勉誠出版)
「長崎聖堂の世界ver.1.0」(熊本県立大学文学部平岡研究室　http://hiraoka.zinbun.kyoto-u.ac.jp/seido.html)
『新長崎市史　第二巻近世編』

孔子の絆は時を超えて

長崎市の孔子廟は、元升が開いた長崎聖堂にまでルーツを遡る。移転や建物の解体などの困難や変遷を経て、現在は極彩色の「長崎孔子廟中国歴代博物館」となった。秋には孔子の生誕祭である釈奠（せきてん）が古式豊かに再現され、冬はランタンフェスティバルの会場となり、中国門外不出の変面ショーなどで賑わう。

豊かな中国文化を伝える孔子廟

乾坤弁説は宇宙論や天動説天球説などを説く西洋の天文学についての書物。
乾坤弁説
けんこんべんせつ
沢野忠庵（さわのちゅうあん）、西玄甫（にしげんぽ）そして向井元升の3人チームで作られた。

沢野が本を和訳しローマ字で記す。
西が読み上げる。
つき
向井が日本語として書きつつ注釈やツッコミを入れる。
Tsuki
これすごく大変！
めちゃくちゃきつい
どれだけやっても終わらない
そうですねでも…
つらくてたまらん
目も痛い
肩がこった

沢野の元の名はクリストファン・フェレイラ。宣教師だったが拷問により棄教した。
穴吊りに比べたら楽ですよ
うわあっ！そうだよね！そうだよね！
なんかごめんね
※遠藤周作の「沈黙」にも登場

画:マルモトイヅミ

関連人脈

向井 去来

（むかい きょらい）

1651年〜1704年

幼少時は慶千代で通称を喜平次（平次郎）といい、字を元淵、号を去来とした。蕉門十哲の一人となり、元禄2年（1689）の帰郷の際に詠んだ歌はとくに知られている。

「君が手もまじる成るべし花薄（芒塚）」「いなづまやどの傾城と仮枕（丸山）」「故さとも今は仮寝や渡り鳥（本河内）」

現代の足跡

長崎聖堂の跡が中島川沿いにあるほか、1959年に解体された建物の一部が、寺町の興福寺の境内に移築されている。本興善町で居を構えていた場所は、長崎市立図書館そばに「向井去来生誕の地」として碑が立つ。（下妻撮影）

黙子 如定

もくす にょじょう

1597年—1657年

どんな人　眼鏡橋を架橋した渡来僧侶

（東明山興福寺HPより）

黄檗宗(おうばくしゅう)開祖の隠元禅師に先行する禅宗の渡来僧で、興福寺2代目の住持。興福寺本堂の建立、諸堂伽藍(がらん)や山門の完成に力を注ぐ。彼が中島川に架けた眼鏡橋は、わが国最初の石造アーチ橋として現在も観光名所となっている。

日本初の石造アーチ橋「眼鏡橋」を架けた高僧

略年表

1597年　中国江西省に生まれる
1632年　長崎に渡来、興福寺に入る
1634年　「眼鏡橋」創建
1635年　興福寺住持。以降、興福寺諸堂を築く
1645年　3代目逸然に譲る。逸然らとともに隠元招請
1654年　隠元渡来
1657年　東盧庵にて61歳で死去

生い立ち：中国揚州（現・江蘇省）興福禅院にて出家、1632年36歳で来日して興福寺に入る。学問や書、工芸や建築に通じ、中国から持ち込んだ技術で「眼鏡橋」を築いた。初代真円より引き継いで住持となると、大雄宝殿・大鐘・山門など、わが国最初の唐寺の伽藍を完成させていった。黙子が寺の上段に建てた東盧庵(とうろあん)（幻奇山房）には唐人が集まり、技術者も多かったという。隠元禅師来日が実現した数年後、晩年を過ごした東盧庵にて没する。

興福寺の建立：媽祖堂(まそどう)からはじまった興福寺に本殿や山門を築いたのは黙子である。釈迦如来(しゃかにょらい)（=大雄）をまつる本殿「大雄宝殿」は大火や暴風で度々破損し、明治期に再建された（国指定重要文化財）。山門は隠元滞在中の寄進で建てられ、のち全焼。現在の山門は、1690年に再建されたもの（県文化財）。

興福寺大雄宝殿

多芸多才の黙子如定：黙子は博学で能書家として知られ、象嵌(ぞうがん)技術も有していた。中でも特筆すべきは、石造アーチ橋のちに「眼鏡橋」と呼ばれる石橋を架設した高

●参考文献
『初期黄檗派の僧たち』（木村得玄　春秋社　2007）
『長崎石物語　石が語る長崎の生いたち』（布袋厚　長崎文献社　2005）

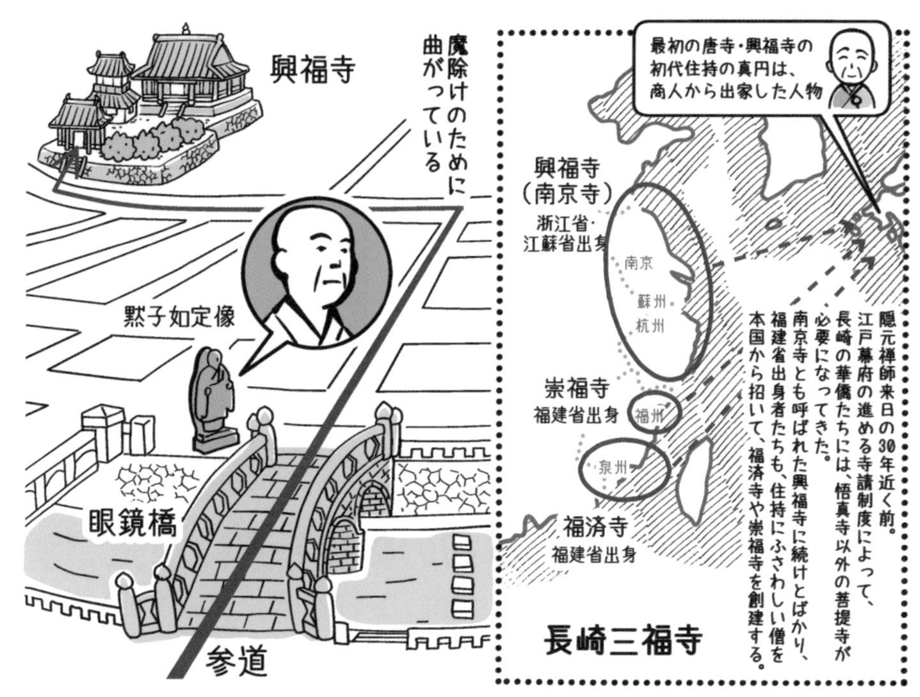

画:マルモトイヅミ

い知識と技術。黙子の故郷には巨大湖と大河があり、石橋も多かったという。なお、岩国「錦帯橋（きんたいきょう）」に関与した独立性易（どくりゅうしょうえき）は、黙子のもとに身を寄せていた。『長崎名勝図絵』には、眼鏡橋に学んだ日本人石工が石橋を築く様子が描かれている。

眼鏡橋と興福寺：興福寺の参詣者のために、参道を横切る中島川に架けられた眼鏡橋。にもかかわらず、まっすぐ興福寺に向かうというよりも崇福寺との中間地点あたりにズラして創建されている。山門から本堂まで直線配置を避ける興福寺の構造と同様、真正面になっていないのは、直進を避けるという魔除けのためとのこと。

現在の眼鏡橋は長崎観光のシンボル

水害と石橋

「眼鏡橋」は1634年に造られ、1648年に重修されたと記録がある。1982年の長崎大水害では半壊の被害を被り、文化庁主体で修復がなされた。回収された石材の使用箇所を形から割り出す作業は、さながら組み立てパズルのようだったそうだ。

日本ダム協会HPより

本木 昌造

もとき しょうぞう
1824年—1875年

どんな人　阿蘭陀通詞・日本活版印刷の父

阿蘭陀通詞（おらんだつうじ）として西洋の書物の文字が、整然として読みやすいことに感動。木版主流の日本の印刷に、金属の鋳造活字を用いることに成功した。昌造の活版印刷技術は、明治の文明開化に貢献し、「わが国活版印刷の父」といわれる。「活版伝習所」「新町活字製造所」で若者を育てた。

「活版印刷の父」は日本初の鉄橋も架けた先駆者

略年表

1824年　長崎に誕生
1834年　本木庄左衛門の養子に
1854年　日露和親条約締結の通詞として伊豆下田へ。大地震で大破したロシア艦の代船建造に立ち会う
1855年　長崎海軍伝習所の通弁官に。「活字判摺立所」の取扱掛に
1857年　密売事件に連座して入牢
1859年　鋳造活字『和英商賈対話集』、翌年『蕃語小引』を印刷
1868年　長崎製鉄所の頭取。日本初の地方紙『崎陽雑報』を発行。「鉄（くろがね）橋」架橋
1869年　「活版伝習所」設立。ガンブルの指導で鋳造活字の製造に成功
1870年　「新町活字製造所」を設立。大阪に「大阪活版所」を設立
1872年　東京に平野富二を派遣し「長崎新塾出張活版製造所」（東京築地活版製造所）を設立させる
1875年　死去

生い立ち:1824年、長崎会所請払役馬田又次右衛門の次男に生まれる。11歳のとき阿蘭陀通詞の名家・本木家に養子に入り、オランダ語を学び、西洋の書物を通じて科学技術への関心を強めていった。阿蘭陀通詞として、日米和親条約、日露和親条約の翻訳にも携わった。

海軍伝習所で活版印刷に挑戦:昌造は、長崎に開設された海軍伝習所の通訳に任命され、物理、測量、数学、製鉄、鉱業などを学ぶ。活字判擦立所（すりたてしょ）が併設されると、自ら鋳造（ちゅうぞう）活字を作り印刷を行った。鋳造活字と木版を併用した実用英会話集『和英商賈対話集』、すべてを自製の鋳造活字のみで印刷した最初の本『蕃語小引』などがあり、これらは「長崎版」と呼ばれている。

長崎に日本初の鉄橋を架ける:1868年に長崎製鉄所（のちの三菱造船所）の頭取となる。現在の長崎市浜町と築町をつないで中島川に架かる「鉄橋（くろがね）」の初代は、昌造が手がけた日本初の鉄橋である（現在の橋は鉄橋ではない）。設計はドイツ人技師ボーゲル。同年8月1日完成。このほか大阪の高麗橋を鉄製にして架け替えた。

完成した鉄橋（ブライアン・バークガフニ蔵）

◉参考文献
『和魂洋才肥前国人物伝　壱』（佐藤康明著、カステラ本舗福砂屋出版、2008）

画:ヤマモトシホ

和文鋳造活字の製造に成功:上海美華書館の印刷技師ガンブルを長崎に招いて1869年に「活版伝習所」を開設。ガンブルが指導する高度な蝋型電胎法（ろうがたでんたいほう）によって、種類の多い漢字を均一に印刷できる和文鋳造活字の製造に成功した。現在の新聞や書物にある明朝体は、昌造が基本形を考案した。

平野富二が印刷事業を引き継ぐ:昌造は、無償の「新町私塾」を開き、教材を印刷するため「新町活版所」「新町活字製造所」を設立。活版印刷を全国に広めたいと大阪、東京、京都にも支社を作ったが、経営難に陥り、1871年に弟子の平野富二に託す。富二はみるみる業績を回復させ昌造の功績を今に残した。

現代の足跡

長崎市立図書館横に「活版伝習所跡」の碑、そこからほど近い長崎県市町村職員共済会館前に「新町活版所跡」の碑がある。長崎歴史文化博物館では、活版印刷に使われた本木種字を常設展示で見ることができる。諏訪神社長崎公園内には本木昌造銅像が建つ。

関連人脈

平野 富二
（ひらの とみじ）
1846年〜1893年

47歳で生涯を閉じた富二は本木昌造の遺志を継いで、中央で成功を収める。1846年に長崎の地役人矢次家に生まれ、昌造より21歳年下。16歳で長崎製鉄所の見習いで昌造に仕える。長崎製鉄所の船チャールズ号を運転して船長昌造と小笠原沖で遭難。運命をともにする。26歳で長崎製鉄所を辞めて昌造に従って活版事業に転じ、東京に出て築地で活版印刷所を開いて大成功。31歳では造船事業に進出して石川島平野造船所（現在のIHI）を創業する。富二の後半生は印刷、造船の基幹産業で日本の近代化を支える事業で明治政府の信頼を得た。47歳で没し、東京の谷中墓地に眠る。

本木 良永

もとき りょうえい

1735年—1794年

阿蘭陀通詞・天文学者

（長崎歴史文化博物館蔵）

江戸中期の阿蘭陀通詞。天文・地理の蘭書を多数翻訳し、最新の西欧自然科学知識を日本に紹介した。地動説、太陽中心説などの新しい学説を詳しく解説している。これまで中国に追従していた我が国の天文学に大きな変革をもたらした。

地動説を初めて日本に紹介した阿蘭陀通詞

略年表

1735年　医師の子として長崎に生まれる
1748年　阿蘭陀通詞・本木良固の養子となる
1749年　稽古通詞となる
1767年　長男・正栄誕生
1771年　『阿蘭陀地図略説』『阿蘭陀地球訳』
1774年　『平天儀用法』『天地二球用法』
1787年　大通詞、阿蘭陀永続暦和解御用
1790年　『阿蘭陀全世界地図書訳』、樟脳銀銭取扱不備につき30日間蟄居
誤訳事件で翌年50日間蟄居
1792年　『太陽窮理了解説草稿』
1793年　成稿『星術本原太陽太陽窮理了解新制天地二球用法記』
1794年　59歳にて病没

生い立ち：13歳で母方の親類である阿蘭陀通詞・本木家の養子に入り、翌年には稽古通詞、最終的には大通詞となる。オランダ語以外にラテン語、フランス語にも通じ、翻訳に生涯を捧げた。1792年『太陽窮理了解』ではコペルニクスの地動説を初めて紹介している。新しい概念を解説するために造語も用い、「惑星」「恒星」「距離」など現代でも日常的に使用されている用語も多い。門下からは志筑忠雄、大槻玄沢らを輩出。

蘭学への献身：良永の人柄は高潔で勤勉、学問への情熱は並々ならぬものだった。墓碑銘には「刻苦勉励して公に奉仕し、粗衣粗食を通して死ぬまで左右に蘭書を置いて手放さなかった」という内容が刻まれていたという。

平賀源内の依頼に応えて：今に伝わる良永最初の翻訳本は、長崎に遊学した平賀源内が持ち込んだ『紅毛花譜』の翻訳で、『阿蘭陀本草』。良永のまとまった翻訳はほぼ天文・地理分野であるので、珍しいものだという。

地動説の初お披露目『天地二球用法』：原書は1620年に刊行された『天球儀および地球儀に関するふた通りの教程』という手引き書。『天地二球用法』の中で良永は地動説を紹介しているものの、深い理解や「地動説」という命名は後輩の志筑忠雄を待つことになる。

◉参考文献
『日蘭交流のかけ橋』（神戸市立博物館　1998）
『長崎偉人伝　吉雄耕牛』（原口茂樹　長崎文献社　2017）

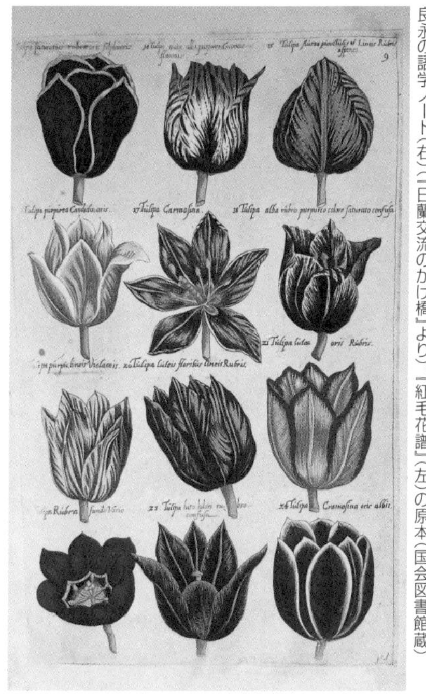

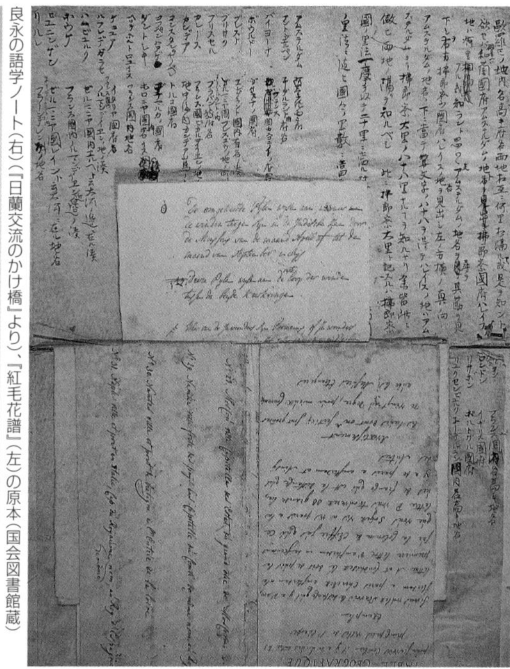

良永の語学ノート(右)(『日蘭交流のかけ橋』より)、『紅毛花譜』(左)の原本(国会図書館蔵)

阿蘭陀通詞の災難と「寛政の改革」:松平定信の寛政の改革は質素倹約を旨とし、華美を嫌った。長崎奉行所にも厳しい通達が下され、南蛮船の入港や取引品目も大きな制限を受けている。幕府とオランダ側の折衝役を務める吉雄耕牛(よしおこうぎゅう)や良永などの大通詞は、半ば言いがかりのように貿易上の不備をつかれて処罰を受けることとなった。

『星術本原太陽窮理了解新制天地二球用法記』:松平定信は、天文学を嗜み改暦を望んだ徳川吉宗の孫。定信もまた改暦が悲願だった。『星術本原太陽窮理了解新制天地二球用法記』は原書を入手した定信が良永に翻訳を命じた。良永が翻訳本を献上した時には定信は失脚しており、改暦に役立てられることはなかった。「太陽窮理」は太陽系のこと。

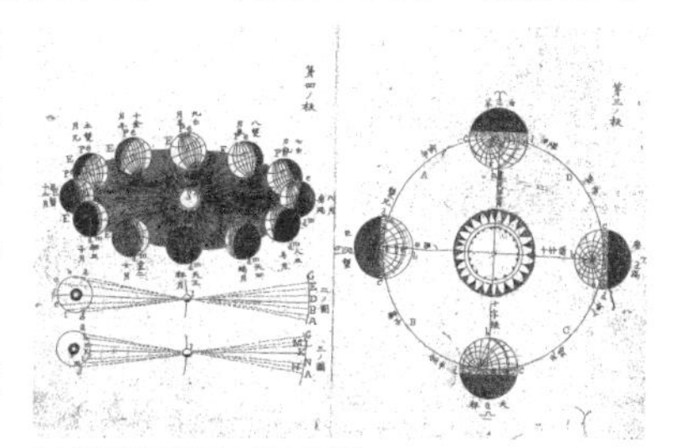

「太陽窮理図」(日本学士院蔵)

関連人脈

本木 良意

(もとき りょうい)
1628年~1697年

本木家の初代にあたる阿蘭陀通詞。『解体新書』より100年近く前に、オランダ語から翻訳して解剖図と解説をまとめた。良永はその実の孫にあたる。

本木 正栄

(もとき しょうえい)
1767年~1822年

良永の実子で阿蘭陀通詞。アルファベット順に配列されたわが国初の英和辞書や、初の仏語辞書の編集に携わっている。

森山 栄之助

もりやま えいのすけ

1820年—1871年

阿蘭陀通詞

高い語学力をもって外交交渉の場で活躍した阿蘭陀通詞。日米和親条約、日米修好通商条約など、条約締結のほとんどに通訳、条文作成などで関わった。条約は後に不平等条約と非難されるが、条約が成立したからこそ植民地に堕ちることなく独立を守ることができた。

（国立国会図書館蔵）

ペリーとの開国交渉で日本を守った語学力

略年表

1820年　長崎馬町で誕生
1845年　浦賀にアメリカ船マンハッタン号が来航したとき通訳を務める
1848年　マクドナルドに英会話学ぶ
1851年　西吉兵衛、名村五八郎らと英語辞書の編纂を始める
1853年　プチャーチン長崎に来航、通訳を務める。大通詞に昇任
1854年　ペリー再来航、主席通詞を務め、日米和親条約を締結
1857年　ハリスと下田条約締結
1858年　日米修好通商条約締結。日蘭、日露、日英、日仏も締結
1862年　オールコックに同行しイギリスで遣欧使節団と合流
1867年　兵庫開港。兵庫奉行組頭（副奉行）に任命
1868年　鳥羽伏見の戦い。イギリス船で江戸に逃れる
1871年　明治政府に仕官することなく横浜で急死

生い立ち:阿蘭陀通詞の森山茂七郎（源左衛門）の一人息子として長崎馬町で誕生。11歳ごろ稽古通詞になるほど、天才的な能力を発揮した。出島オランダ商館長レヴィソンは「森山はオランダ語を自分よりも上手にしゃべる」と高く評している。ペリーとの交渉をまとめた後は幕臣に取り立てられたが、明治政府に仕官することなく51歳で燃え尽きるように亡くなった。

牢屋越しの日本初の英会話塾:フェートン号事件（1804年）の後、阿蘭陀通詞・唐通事には英語、フランス語の習得が課せられた。栄之助が独学を重ねているとき、アメリカ人のマクドナルドが密航者として長崎に移送されてきた。栄之助ら14人の通詞は、マクドナルドがいる座敷牢に通い7カ月間、本物の英語を学んだ。マクドナルドは「栄之助は群を抜いて知能が高い」と舌を巻くほどだった。

ロシアのプチャーチンとの外交交渉:ペリーが浦賀に初来航した1853年、長崎にはプチャーチンのロシア艦隊が入港した。開国を厳しく迫るプチャーチンに対して、幕府副全権の川路聖謨（かわじとしあきら）の巧みな弁舌と栄之助の正確な通訳によって、要求を飲むことなくロシア側をひとまず帰らせることに成功する。栄之助はこの交渉の働きによって大通詞（おおつうじ）に昇格した。

◉参考文献
『幕末の外交官　森山栄之助』（江越弘人著、2008年、弦書房）
『マクドナルド「日本回想録」インディアンの見た幕末の日本』（ウィリアム・ルイス、村上直次郎　編、宮田虎男　訳訂、1993年、刀水書房）

座敷牢の中のマクドナルドに英語を学ぶ　　画:橋口美子

アメリカをはじめ列強との条約を次々と締結:1854年のペリー再来航で、栄之助は主席通詞を務めた。アメリカ側の主席通訳官の記録には「ほかの通訳がいらなくなるほど英語が達者で大助かりだ」とある。単なる通訳以上の交渉力を見せた栄之助は、幕臣に取り立てられ「多吉郎」と改名した。1856年に米国総領事ハリスが来日すると、下田条約、続いて日米修好通商条約の交渉の場で、通訳、翻訳、条文作成に活躍した。その後も各国との重要な通商条約のほとんどに栄之助が関わっている。

現代の足跡

長崎市上西山町の松の森通りに「森山栄之助顕彰之碑」「マクドナルド顕彰之碑」が並んで建つ。ここはマクドナルドが収容され、栄之助らが英語を学んだ大悲庵跡の前になる。

関連人脈

ラナルド・マクドナルド

1824年〜1894年

イギリス人の父とアメリカ先住民の母の間に生まれたアメリカ人。神秘の国ジャパンに憧れ、来日を計画。捕鯨船員となり日本近海で漂流民を装って北海道の利尻島に上陸するが、捕縛され長崎に移送される。座敷牢の格子越しに栄之助ら14人の通詞に7カ月にわたって英語を教え、日本人の親切な対応に感謝しつつ、迎えに来た米艦プレブル号で帰国。二度と日本を訪れることはなかったが、臨終の言葉は「ソイナラ(さよなら)」だったという。

Who's Who Nagasaki 100

VII

山本健吉　リンガー
吉雄耕牛　盧草拙
ラッセル　渡辺昇

山本 健吉

やまもと けんきち

1907年—1988年

どんな人 文芸評論家

評論家で政治家の石橋忍月の三男として磨屋町に生まれ、旧制長崎中学から慶應義塾大学国文科へ。出版社で俳句雑誌や文芸誌の編集を手がけつつ、評論の執筆も始める。小説や随筆もあわせ、多くの著作を生み出す。文化、芸術界の要職を歴任、文化勲章も受けた。

（国立国会図書館蔵）

芭蕉研究などで昭和を代表する文芸評論家

略年表

1907年　長崎市磨屋町で生まれる
1931年　慶應義塾大学国文科卒業
1933年　改造社に入社。俳句誌創刊に携わる
1939年　文芸誌を創刊。私小説論を執筆
1948年　角川書店編集長となる
1955年　『芭蕉』で新潮社文学賞
1966年　日本芸術院賞
1967年　明治大学教授就任
1969年　日本芸術院会員就任
1972年　日本文藝家協会理事長就任、勲三等旭日中綬章
1983年　文化勲章受章
1984年　宮中歌会始で召人となる
1988年　死去。墓は父の菩提寺福岡県八女市の無量寿院にある
1995年　八女に「山本健吉・夢中落花文庫」開設

生い立ち：長崎市磨屋町に生まれる。父は評論家・政治家の石橋忍月。本名は石橋貞吉。旧制長崎中学を卒業したのち慶應義塾大学国文科に進む。在学中は折口信夫（おりぐちしのぶ）に師事した。最初の妻は俳人の石橋秀野。

独自の文芸批評：大学卒業後、改造社に入社。俳句の雑誌「俳句研究」創刊に関わったことで、俳句についての探究が始まる。一方では、文芸誌「批評」を創刊し、多くの作家とも交流しながら、自身の造詣が深かった古典や詩歌と現代文学の関係性を考察するなど、独自の文芸批評の道を開いていった。

読み継がれる作品：俳句や評論を中心に、文芸時評、小説や随筆まで旺盛に執筆した。長く読み継がれているものも多く、1940年代から50年代に出版された『私小説作家論』『現代俳句』『古典と現代文学』『俳句の世界』などは、現行の文庫や選書として手に取ることができる。

数々の受賞歴：優れた作品や、文化・芸術への貢献から、数々の賞を受け、また要職を歴任した。主なものに『芭蕉』による新潮社文学賞、『詩の自覚の歴史』での日本文学大賞、『いのちとかたち』で野間文芸賞など。日本芸術院賞、勲三等旭日中綬章、文化勲章も受け、1984年には宮中歌会始の召人となった。

◉参考文献
『長崎游学⑭』

シャギリに呼ばれて：若くして離れてなお、健吉の長崎への思いは大きく、長崎くんちに合わせて帰ることも度々だった。文化勲章や直筆色紙など関連資料が、ふるさとを懐かしむように、県立長崎図書館（現郷土資料センター）に託されている。

さだまさしとの親交：2021年3月18日に福岡・八女市の無量寿院でおこなわれた山本健吉の33回忌に、さだまさしが参列した。さだはこのあとコンサートを開き、山本との親交の深さを語った。さだが、グレープとしてデビュー直後に「防人の詩」をヒットさせたとき、「好戦的な歌」とバッシングをうけた。しかし、この歌は山本の指導にもとづく「死者を追悼する挽歌」だと明かし、長崎生まれ同士の励ましに、さだは勇気を得て再起したという。さだは山本の最初の妻石橋秀野の作品に触発されて、歌手活動をつづけたことも話し、その娘石橋安見とも家族ぐるみの親交があることも公開した。

諏訪神社参道にある「母郷行」碑（下妻撮影）

現代の足跡

諏訪神社参道の「母郷行（ぼぎょうこう）」の碑には、故郷長崎への思いが綴られている。長崎歴史文化博物館には母校・旧制長崎中学の記念碑、長崎東高校の正門前にも健吉が寄せた言葉が刻まれている。琴ノ尾岳の公園には歌碑が立つ。

長崎のみかんだ！

長崎の
伊木力みかん
みどりのはの
大き葉つけて
花のごとくあり

歌会始
ふるさとの
伊木力みかん
みどりのはの
大き葉つけて
花のごとくあり

長崎は、
健吉の永遠の
ふるさとだった……。

画：ヤマモトシホ

吉雄 耕牛

よしお こうぎゅう

1724年—1800年

（個人蔵・『日蘭交流のかけ橋』より）

どんな人　**阿蘭陀通詞・吉雄流外科流祖**

江戸中期の阿蘭陀通詞、蘭方医。通詞の業務に加え、オランダ商館医から学び吉雄流外科を確立。舶来の文物を蒐集した屋敷には、評判を聞きつけた平賀源内や司馬江漢など多くが訪れた。蘭学普及に貢献した「オランダ座敷」は長崎の名所となった。

蘭学をベースに医学・天文学・地学…あらゆる分野に精通

略年表

1724年　阿蘭陀通詞の家の長男として生まれる
1737年　稽古通詞になる
1742年　小通詞になる
1748年　大通詞になる
1752年　この頃、平賀源内が来訪
1761年　江戸番通詞の折、中津藩医・前野良沢に助力
1769年　江戸番通詞の折、杉田玄白が入門
1770年　平賀源内、2回目の吉雄邸逗留
1773年　『解体新書』序文執筆
1788年　司馬江漢来訪
1790年　誤訳事件で処罰、翌年蟄居を命じられる
1796年　蟄居終了
1797年　蛮学指南役拝命
1800年　77歳にて死去

生い立ち：阿蘭陀通詞の家柄に生まれ、非凡な語学力で14歳稽古通詞、19歳小通詞、25歳で大通詞、と異例の早さで昇格。西洋医学・天文・地理・本草学を学び、中でも医学においては外科に優れており、杉田玄白らの『解体新書』執筆時は、蘭語の指導や翻訳のアドバイス、医学知識など多大な助力を与えている。自宅を「成秀館」と名づけて吉雄流紅毛外科を教え、検尿法や梅毒の水銀水療法も導入した。人間好きで懐深く、門人は600～1000人ほどいたという。

『解体新書』序文：『解体新書』刊行にあたって権威者からのお墨付きとして序文を耕牛が任された。蘭語翻訳の中心者でありながら、著者として名前が上げられていない前野良沢を称える内容が見える。落款の横の「吉雄永章」が耕牛の名前である。のちに杉田玄白が大槻玄沢に訳しなおさせた『重訂版』では序文が別のものに差し換えられた。

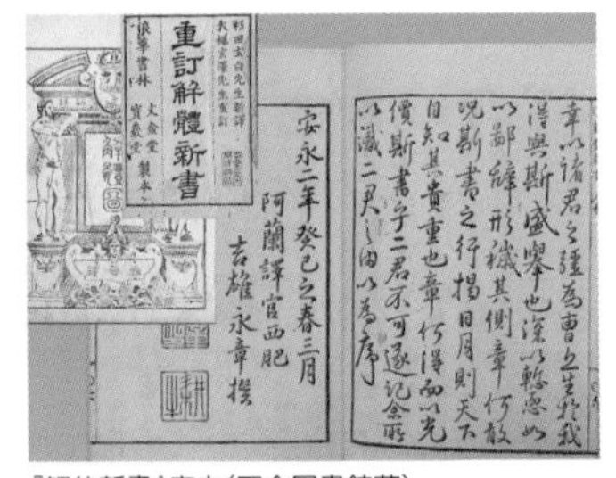

重訂解體新書

安永二年癸巳之春三月
阿蘭譯官西肥
吉雄永章撰

『解体新書』序文（国会図書館蔵）

◉参考文献
『日蘭交流のかけ橋』（神戸市立博物館　1998）
『長崎偉人伝　吉雄耕牛』（原口茂樹　長崎文献社　2017）

晩年の耕牛はオランウータンに日本語を教えるように命じられたとか　　画:木村瞳子

吉雄流紅毛外科:オランダ商館医から学んだ耕牛は特に外科に通じ、「吉雄流紅毛外科」として広まる。包帯術や整体術、いち早く取り入れた検尿法など、最新の医療技術が提供された。門弟たちでにぎわう、耕牛の私塾「成秀館」は医学の原書や翻訳本多数を蔵し、出島での実習見学まであったという。

長崎の観光名所・吉雄邸:吉雄邸は別名「オランダ座敷」。訪れた人の目を楽しませると同時に、西欧文明の体験型展示場でもあった。西洋家具、壁に天体図、棚には異国の機器類や原書、庭に出れば珍しい植物や動物が迎える。ワニやナマケモノまでいたとか。大槻玄沢は耕牛にもてなされたオランダ正月を、江戸で「新元会」として真似をした。吉雄邸は長崎奉行所西役所にほど近い長崎市万才町にあった。

旧長崎県警本部前の碑

関連人脈

司馬 江漢
(しば こうかん)
1747年～1818年

絵師で蘭学者の司馬江漢は、吉雄邸にひと月ほど滞在して『江漢西遊日記』に記録を留めている。「椅子席で、山羊・小鳥を焼いてボートル(バター)を付けて食う」「連日(本木)良永と耕牛の暇を見つけて天文の講義を受け、天体の動きと地動説を理解できた。これを一般の人にもわかるように出版してみたい」とある。

ラッセル

エリザベス・ラッセル
1836年―1928年

宣教師、活水学院創立者

アメリカのペンシルベニア州の一流女子校ワシントン・セミナリーを出て、教師を勤めたのち、メソジスト教会の女性宣教師として長崎へ渡る。生徒ひとりから活水女学校をスタートさせ、現在に至る活水学院を築き上げた。日本初の女性大臣となった中山マサをはじめ、多くの卒業生が活躍している。

活水学院を創始、女性に自立と教養の大切さを教育

略年表

1836年　アメリカ・オハイオ州に生まれる
1859年　ワシントンセミナリーを卒業。教師になる
1873年　メソジスト教会の集会で感銘を受ける
1879年　長崎に派遣され、活水女学校を創設。
1885年　日本人の子どもを養子にする
1893年　天草に被災孤児のための活水女園を作る
1919年　日本を離れる。藍綬褒章授与
1924年　養子・メイ死去
1928年　死去

生い立ち:アメリカ・オハイオ州ハリソン郡で生まれる。勉学をよくし、優れた女学校であったワシントン・セミナリーに入学。教師として10年を過ごしたのち、メソジスト教会の集会で感銘を受け、海外伝道への思いを抱くようになった。

1週間で学院創設:日本でキリスト教禁教の高札が下ろされた1873年、メソジスト教会は長崎に宣教師を派遣。その6年後に女性の宣教師・教育者として派遣されたのがラッセルだった。長崎到着のわずか6日後には、東山手の外国人居留地に「活水女学校」を設立。はじめは生徒1人だったが、1882年、現在の本館がある東山手十三番に新校舎を建てた時には43名になっていた。

女子にも高い教育を:ラッセルは、家庭人としての女子教育にとどまらず、社会で自立できる女性を育てるため、理系の授業にも力を入れた。初期の学院では、医師となった井上トモ、日本初の女性大臣・中山マサらが学んでいる。のちに高等女子部の卒業生は高等女学校以上の学力を認められたほか、女子が大学に入学できなかった時代、1919年にできた大学部「活水女子専門学校」は、女子の最高教育機関となった。

◉参考文献
『旅する長崎学⑤』
『長崎活水の娘たちよ』(白浜祥子　彩流社)

明治の終わりには幼稚科から大学院、師範部まで幅広い教育課程が認可された　　画:木村瞳子

愛と奉仕の半生:ラッセルは活水を発展させる傍ら、日本人の養子を引き取って育てたほか、島原地震による孤児のため、天草に「活水女園」を開いたり、奉仕活動を精力的に行った。1898年に校長を退いてからも、20年ほどは学院を補佐している。82歳でアメリカに帰国したのち、大正天皇から藍綬褒章を贈られた。結核を患っていた養子・メイと妹を看取ったのち、91歳で亡くなった。

現代の足跡

活水学院は、いまも長崎を代表する女子校のひとつ。現在の校舎はラッセルが帰国した後のものだが、隣接する洋館「東山手十二番館」(1868年築)は「ラッセル館」「旧居留地私学歴史資料館」として、当時の風情を伝えている。

活ける水を継ぐ

ラッセル亡き後の学院は、戦中戦後の困難な時代を乗り越え、中学校、高等学校、短期大学として発展。1981年には4年制大学も開学した。「活水」とは「わたしが与える水はその人の内で泉となり、永遠の命に至る水がわき出る」という聖書の一節から。卒業式では、卒業生が「活ける水」を象徴する手桶にリボンを結び、在校生に譲る「魂譲り」の儀式が行われる。

「ラッセル館」となっている東山手十二番館(下妻撮影)

ラッセル(右端)と教師たち

リンガー

フレデリック・リンガー
1838年—1907年

英国人貿易商

明治から昭和初期まで「ホーム・リンガー商会」として長崎に根を下ろし、長崎最大の企業として産業発展、市民の文化水準の向上に尽力した。グラバーのあと長崎居留地のリーダーとして活躍、ベルギー、スウェーデンなどの名誉領事にも就任し国際交流に努めた。

長崎の貿易と漁業の発展に貢献した英国商人

略年表

1838年　イギリス、ノーリッジに生まれる
1865年　グラバー商会に招へいされ長崎で製茶と輸出の監督業務を行う
1868年　グラバー商会を退職。「ホーム・リンガー商会」を設立
1876年　ウラジオストックへ出張
1881年　グラバーと共に日本初のダイナマイトの実演
1889年　長崎の投資家たちと共に長崎蒸気製粉会社を設立
1891年　長崎水道（本河内高部水道）が完成
1897年　日刊英字新聞「ナガサキプレス」創刊
1898年　「ナガサキ・ホテル」開業
1904年　「ナガサキ・ホテル」一時閉業。同年12月に営業再開
1907年　「汽船漁業」設立。日本で初めて漁業に蒸気トロール船を導入
1907年　イギリスに帰郷中に死去

生い立ち:イギリスのノーリッジに、食料商人リンガー家の三男として誕生。次兄のシドニーは「リンゲル液」を開発した医科学者である。中国で茶の検査官を務める長兄の勧めで、フレデリックは1864年に中国へ渡り、グラバーの誘いで長崎へ。晩年まで長崎で過ごしたが、ノーリッジに帰郷中に死去。墓碑には「日本・長崎のフレデリック・リンガー」と刻まれている。

茶検査官として長崎へ:中国で茶葉検査官を務めていたリンガーは1865年に長崎へ。グラバー商会に入社し製茶と輸出監督を担当する。グラバー商会の経営が悪化した1868年、リンガーはエドワード・Z・ホームと組んで「ホーム・リンガー商会」を立ち上げ、グラバー商会の茶の輸出部門を受け継いだ。

多彩な事業を堅実に行い成功:リンガーは、グラバー商会倒産の原因となった武器などを扱うのを避け、茶中心の事業に重点を置いた。長崎での英字新聞の刊行、ホテル経営、水道の敷設に尽力するなど市民生活の向上にも積極的に活動した。グラバーの息子、倉場富三郎が入社すると、日本初の蒸気トロール船による漁業をおこない、長崎の水産業を飛躍的に発展させた。

●参考文献
『リンガー家秘録　1868-1940』（ブライアン・バークガフニ著、2014年、長崎文献社）（写真すべて同書より）

「長崎レガッタ」はリンガーのマネジメントで行われた。現在の小菅にボートハウスも建てられていた(ブライアン・バークガフニ氏蔵)

東洋一の「ナガサキ・ホテル」設立：1890年代、長崎は石炭の供給港、外国商船や軍艦の休憩港として繁栄した。リンガーは、居留地南部の一等地に国際級ホテル「ナガサキ・ホテル」を開業。内装、食器、ワインまで、豪華さは「東洋一」とうたわれた。しかし、日露戦争で外国人が長崎を去ると、経営不振に陥り倒産を避けられなくなり、リンガーの死後売却された。現在の旧香港上海銀行のならびに建っていた。

「ナガサキ・ホテル」は東洋一といわれた(ブライアン・バークガフニ蔵)

現代の足跡

「グラバー園」内にある「旧リンガー住宅」(国指定重要文化財)は、明治から昭和にかけてリンガーとその家族が3代にわたって暮らした。住所の「南山手2番」にちなむ家は「NIBAN」の愛称で親しまれた。

同じイニシャルの幸運

リンガーの死後、1908年に売却が決まったナガサキ・ホテルだったが、銀食器や皿の売却に困っていた。これらにはすべて「ナガサキ・ホテル・リミテド(株式会社)」の頭文字「NHL」が記されていたからだ。しかし偶然にもこの年に開業した、同じイニシャルを持つ奈良ホテルが購入してくれることになった。このうち1セットが2015年に奈良ホテルから長崎市に寄贈され、グラバー園の旧リンガー住宅で見ることができる。

盧草拙

ろ そうせつ

1675年―1729年

天文学者

中国から長崎に渡ってきた「住宅唐人」の四代目に生まれ、若くして博覧強記、医術や天文学に長けた。長崎の学問の中心であった長崎聖堂の学頭に任ぜられ、幕府からも天文御用の儀を賜る。先賢たちの功績を記録する『長崎先民伝』に着手するも没し、息子の千里が完成させた。

妙見を祀り、ザボンを植えた大碩学

略年表

1675年　内中町に生まれる
1713年　長崎聖堂の学頭となる
1715年　唐船の「信牌」渡立会を任ぜられる
1717年　西山に妙見宮の建立願いを出す
1719年　江戸に上り、天文御用の儀を勤める。妙見社建つ
1724年　千里を養子に迎える
1728年　『長崎先民伝』編纂を千里に託す
1729年　死去
1731年　『長崎先民伝』完成

生い立ち:唐通事や学者を輩出した盧家に生まれる。幼名は卯三郎、平吉。通称は元右衛門。幼くして母を、14歳で父を失う。体は弱かったが、学問に励み、天文学や医学、古典に通じる。17歳で経書や医学を教えるまでになったという。

盧家の先祖は太公望:長崎の盧家は、1612年に高祖父・君玉が明国福建から渡ってきたことに始まった。盧家の先祖は紀元前の太公望にまで遡るといわれる。君玉は奉行に許された「住宅唐人」となり、日本人女性と結婚して息子を成したが、自身は帰国した。息子の庄左衛門は長崎で唐通事となる。庄左衛門の息子の草碩は、医術や天文学、易学を収めた。その息子が草拙である。

学問と貿易の要職:若いころから父とおなじく医術を修め、博覧強記で鳴らした草拙は、1713年、儒学の学問所である長崎聖堂の学頭(主席教師)となる。聖堂は、唐船への貿易許可証「信牌」の発行も行っており、その業務も手掛けた。儒教や学問、経済についての書物を著したり、1719年には江戸に上って天文方御用を勤めた。

◉参考文献
『長崎先民伝　注解～近世長崎の文苑と学芸』(若木太一、高橋昌彦、川平敏文編／勉誠出版)
『長崎游学』13

西山神社のザボンの木　　画:木村瞳子

西山神社のザボン(下妻撮影)

息子に託した『先民伝』:代々学問を修め、先人たちの偉業に触れてきた草拙は、彼らの存在や業績を記録し、まとめることを計画。資料や証言を集め、執筆を始めていたが、完成を見ぬまま亡くなった。優れた才能を見込まれて養子となっていた盧千里は、草拙の遺志を受け継ぎ、その死の2年後、147名の伝記からなる『先民伝』を完成させた。現在も、江戸前中期の長崎の文化・学芸を知る上で欠かせない史料となっている。

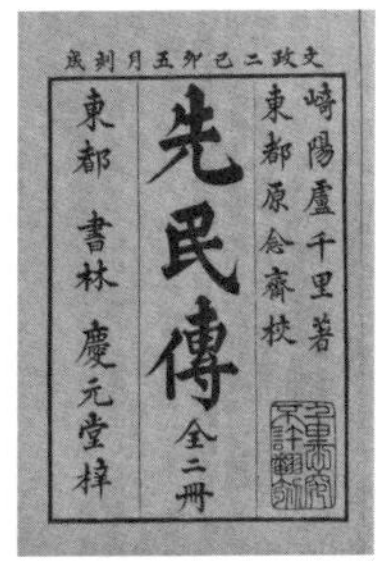

文政二己卯五月刻成

崎陽　盧千里著

東都　原念齋校

先民傳　全二冊

東都　書林　慶元堂梓

『先民伝』表紙

現代の足跡

西山神社のザボンの木は、現在、三代目、四代目となっている。元の木の種は島原半島や鹿児島地方にまで伝わり、それぞれの地で栽培された。神社には草拙ゆかりのザボンのほか「元日桜」として親しまれている寒桜がある。

元日桜

妙見宮のザボン

草拙は妙見神(北辰=北極星・北斗七星)を厚く信仰していた。家内に祀るだけでは収まらず、町年寄や奉行に妙見社建立を願い出たところ、役所や有志からの寄付も集まり、西山の地に完成した。現在は造化三神を祀る「西山神社」として存続しているが「妙見宮」の名も見える。境内には、草拙が唐船の船長から種を譲り受けて植えたというジャワのザボンが受け継がれており、毎年大きな実をつけている。

妙見宮「西山神社」

渡辺 昇

わたなべ のぼり

1838年—1913年

政治家・大村藩士

兄の清左衛門と共に大村藩の勤王派の先頭に立ち倒幕を進めた。長州の桂小五郎との親交も深く、その人脈を活かして坂本龍馬の「薩長同盟」成立のため奔走した。維新後は大阪府知事、元老院議官、会計検査院長を務める。優れた剣客としても知られ、近代剣道の普及にも尽力した。

薩長同盟を支えた大村藩の勤王派リーダー

略年表

1838年　大村藩上級藩士の家に生まれる
1852年　藩校・五教館に入校
1860年　江戸遊学。剣術道場「練兵館」に入門し桂小五郎と親交を結ぶ
1863年　大村に帰藩。勤王派による同盟（後の「三十七士同盟」）結成
1865年　坂本龍馬と出会い薩長同盟成立のため長州を説得
1866年　勤王の同盟に37人の藩士が加盟し「三十七士同盟」へ
1867年　三十七士同盟の針尾九左衛門と松林廉之介が襲撃される「大村騒動」起こる
1868年　鳥羽・伏見の戦いに参加
1880年　元老院議官に就任
1898年　勲一等旭日大綬章を受章
1895年　日本武術を振興する「大日本武徳会」発足
1902年　第1回の剣道範士号を受領
1906年　大日本武徳会剣術形を制定
1913年　死去

◉参考文献
『もう一つの維新史　～長崎・大村藩の場合～』（外山幹夫　著、1993年、新潮社）
『龍馬と弥太郎　長崎風雲録』（長崎新聞社　編著、2010年、長崎新聞社）

生い立ち:大村藩で渡辺巌の次男として生まれる。兄は後に福岡県令となった渡辺清左衛門（清）。昇は幼少から体が大きく暴れん坊で15歳になると藩校・五教館で漢学を学ぶ一方、剣術では北辰一刀流、神道無念流に打ち込み文武に励んだ。桂小五郎と出会った江戸の練兵館で、桂の後の塾頭を務めた。江戸では後に敵対する試衛館道場の主・近藤勇とも友情を培っている。

「大村騒動」起こり勤王に向けて一本化:尊王攘夷の動きに向けて、渡辺兄弟をはじめ37人の同志が「三十七士同盟」を結成。そのメンバーである家老の針尾九左衛門と五教館教授の松林廉之介（飯山）が襲撃され、針尾は重症、松林は死亡する。渡辺兄弟らの探索によって、佐幕派26人が切腹・処刑された。この事件で大村藩の佐幕派は一掃され、藩主純熈のもと大村藩は「勤王」で統一。戊辰戦争で目覚ましい活躍を果たし、純熈は薩摩、長州、土佐藩主に次ぐ高い論功行賞を受けた。

薩長同盟成立のために奔走:昇は、吉井源馬の仲立ちで、坂本龍馬と長崎で会談する。龍馬は、薩摩と長州を結ぶ「薩長同盟」を画策していた。そのため長州の桂小五郎や高杉晋作と親しい昇に説得を依頼。「国家の急務」と理解した昇は長州側の説得に努めた。歴史的な薩長

画:マルモトイヅミ

同盟成立の陰には、龍馬だけでなく昇ら多くの志士の尽力があった。

近代剣道の発展に力を尽くす: 近代日本の武術教育による精神鍛錬を目指し、昇のほか丹羽圭介、佐々熊太郎、鳥海弘毅を中心として1895年に「大日本武徳会」が発足。警察を中心とした内務省の地方組織を活用して運営された。大日本武徳会商議員を務めた昇は第1回の剣道範士号を受領。1906年には大日本武徳会剣術形(日本剣道形の前身)を制定するなど、近代剣道の普及に尽力した。

現代の足跡

護国神社(大村市)境内には、暗殺された松林廉之介(飯山)をはじめ、渡辺兄弟や楠本正隆など、明治維新に貢献した三十七士を顕彰する碑が並ぶ。

三十七士を顕彰する碑

関連人脈

松林 飯山
(まつばやし はんざん)

1839年〜1867年

幕末期に渡辺昇とともに、大村藩を尊王思想に導いた指導者。幼少期から漢籍を習得し、江戸に出て昌平黌で正統的な国史を学び、広い見識をみがいた。京都で和宮降嫁(徳川家への嫁入り)の行列を目の当たりにして、尊王思想に目覚め、大村にもどり藩校五教館の教授となる。藩士たちに尊王思想の大切さを教え、大村藩勤王三十七士の中心人物となる。尊王、倒幕に具体的な行動を起こそうとしているときに、佐幕派の凶刃に倒れ、29歳の生涯を閉じた。長州の吉田松陰的な存在として、大村藩の勤王思想の支えになった。大村藩は、明治維新の実現に大きく貢献するが、その基礎は松林飯山の思想がおおきな力となった。

100人事典「あとがき」

孟子に「読書尚友」という言葉がある。書物を読み、むかしの賢人を友として学ぶ、という意味だそうである。

長崎文献社は、このたび創業20周年を迎えた。長崎の歴史文化をひもとき、これまで360点の書籍を出版してきた。外国人を含め、多くの立派な人物に出合うことができた。その中から100人の人物を厳選して紹介することとした。もっとも、本書は入門書にすぎない。読者の皆さまに、人物像を通じて、長崎の歴史文化をさらに掘り下げ、深く理解していただけるとありがたい。長崎の人にとって、愛着と誇りを高め、特に、若い人たちに、郷土愛を育んでもらえたら望外の喜びである。

政治、経済、宗教、社会、文化、芸術、医学、教育…、多くの分野で偉人が輩出した。戦国時代、巡察使ヴァリニャーノは、「日本人は教養高く、植民地に馴染まない」とローマ法王庁に報告、その証しに、4人の少年を長崎からローマに派遣した。ザビエルの夢をかなえ、日本を植民地から守った。江戸時代、出島で活躍した長崎の阿蘭陀通詞を介して医学をはじめ西洋の科学や文化が移入された。杉田玄白の『解体新書』の序文は、長崎の吉雄耕牛が書いている。本年2023年は、シーボルト来崎200年にあたる。彼は、医学、博物学などの子弟を数多く育てた。幕末、列強諸国との条約交渉役にあたったのは、マクドナルドの教えを受け、英語に熟達した森山栄之助である。長崎で学び、明治維新期の歴史に名を残す英傑は、福沢諭吉、大隈重信、勝海舟、坂本龍馬、岩崎弥太郎をはじめ、数えきれない。

明治以降も、枚挙にいとまがない。長崎学を確立した古賀十二郎、建築家の鉄川与助、孤児院創設の岩永マキ、彫刻家北村西望、銅座町の豪商永見徳太郎…。

長崎にゆかりのある人たちが、日本の近代国家の礎を築き、今日の社会文化を切り拓いたことは紛れもない事実である。そして、長崎は、いま、大きく動こうとしている。偉大な歴史文化が脈々と流れる中、尚友し、飛翔することを心から願っている。

株式会社長崎文献社
代表取締役　片山 仁志

編集スタッフ

◆編集統括　　堀 憲昭（長崎文献社編集長）
・アートディレクター　浜崎 稔（ミートデザイン）
・校正・許諾　山下睦美

◆ 100 人リスト監修委員
・委員長：赤瀬 浩　　・委　員：原口茂樹　　宮田和夫　　下妻みどり

◆原稿取材・執筆・まとめ
下妻みどり　　髙浪利子　　髙浪高彰　　龍山久美子　　藤川小百合　　山下睦美

◆イラスト・漫画
西岡由香　　マルモトイヅミ　　ヤマモトシホ　　木村瞳子　　橋口美子

※本書の出版にあたり、公益財団法人長崎バス観光開発振興基金から 2022 年度助成事業として出版資金の援助をいただきました。

長崎文献社20周年記念企画

長崎歴史100人事典

発　行　日　初　版 2023 年 3 月 30 日　第 2 刷 2024 年 1 月 30 日

編集・著作　長崎文献社編集部

発　行　人　片山 仁志

編　集　人　堀 憲昭

発　行　所　株式会社 長崎文献社
〒850-0057 長崎市大黒町3−1　長崎交通産業ビル 5 階
TEL. 095-823-5247　FAX. 095-823-5252
ホームページ https://www.e-bunken.com

本書をお読みになった
ご意見・ご感想を
このQRコードよりお寄せください。

印　刷　所　オムロプリント株式会社

ISBN978-4-88851-383-8　C0021

テレビの外へ！ ラジオの先へ！

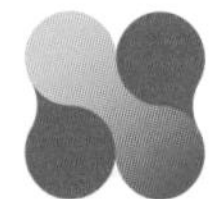

NBC 長崎放送